인공지능 헬스케어 산업분야 취업가이드

목차
Contents

01

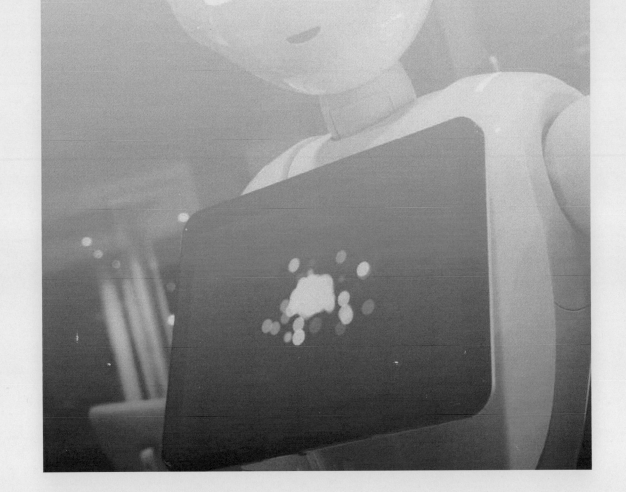

인공지능 헬스케어 관련 기업 소개

1. 인공지능 헬스케어 관련 기업 소개
가. 셀바스에이아이

[그림 2] 셀바스에이아이
출처 : 셀바스에이아이

셀바스에이아이는 음성인식·빅데이터 분석 기술기업으로 딥러닝 알고리즘 기술을 활용해 음성 의료 정보를 분석한다. 의료 녹취 솔루션 개발을 위해 세브란스 병원과 협력하고 있는데, 의무기록 시간을 줄여 의사와 환자의 대면 시간을 늘려 환자의 만족도가 증대되었다.

셀바스에이아이는 CES2019에서 최초로 인공지능 헬스케어 솔루션인 '셀비 체크업(Selvy Checkup)'의 최신버전을 공개했다. 셀비 체크업은 사용자의 건강검진 정보를 기반으로 앞으로 4년 내 주요 질환에 대한 발병 위험도를 예측해주는 솔루션으로, 셀바스에이아이는 예측엔진 고도화를 적용한 최신버전의 셀비 체크업을 공개했다.

셀바스 에이아이는 엔진 성능 고도화를 통해 셀비 체크업의 질환 발병 위험도 예측 범위를 기존 3개에서 10개로 확대해 당뇨, 심장질환, 뇌졸중, 치매, 간암, 위암, 대장암, 유방암, 전립선암, 폐암 등 각종 질환의 발병 확률과 발병 위험도를 예측한다.

현재 셀바스 에이아이는 일본, 중국 등 해외시장 진입을 통한 서비스 지역 및 고객 확대에 주력하고 있으며, 일본 최대 통신사업자 KDDI의 클라우드 API 마켓에 셀비 체크업을 등록했다.[1]

최근 셀바스에이아이는 인공지능 기술로 감정 표현이 가능한 음성합성(TTS) 기술을 새롭게 발표했다. 이번에 발표된 감정표현 음성합성 기술은 지난해 출시된 인공지능 음성합성 제품인 '셀비 딥TTS(Selvy deepTTS)'에 적용돼 고객들에게 선보일 예정이다.

---

1) 셀바스 AI, CES 2019서 '셀비 체크업' 최신 버전 공개, 김근희, 뉴스핌, 2019.01.09

‘셀비 딥TTS’는 다양한 감정을 표현하는 감정합성 기술뿐 아니라 외국어 인공지능 학습을 통한 교차언어 학습 기술을 포함하고 있어 슬픔, 경쾌함, 행복, 차분함과 같은 다양한 감정 표현 및 외국어 발화도 가능해 한국어, 영어, 중국어, 일본어 등을 유창하게 표현한다.

또한, 슬픔, 행복과 같은 감정뿐 아니라, ‘조금 슬프게’, ‘많이 슬프게’ 등과 같이 감정의 강도까지 조절할 수 있어 인공지능 화자가 영화, 드라마 더빙, 인공지능 스피커, 뉴스, 교육 영상 등과 같은 다양한 콘텐츠의 각 상황에 어울리는 발화 및 감정 연기를 가능하게 한다.

셀비 딥 TTS는 외국어 인공지능 학습을 통한 교차언어 학습 기술을 포함하고 있어, 한국어 화자 ‘마루’, ‘유진’, ‘혜진’은 영어를, 영어 화자 ‘사라(Sarah)’는 한국어를 구사할 수 있도록 상대방 모국어에 대한 상호 학습이 가능하도록 개발되었다.[2]

1) 채용공고 소개

❖ **직무내용** : 1. 회계 기초 업무
　　　　　　2. 정부 R&D사업 관리
　　　　　　　#정부 R&D과제 제안서 작성
　　　　　　　#예산 집행, 실적관리 및 보고

❖ **Skill set** :
　　- 기본 회계 지식을 보유하신 분
　　- 정부 국책과제 프로세스를 이해하고 계신 분

❖ **우대사항** :
　　1. IT / SW 회사 근무 경험을 보유하신 분
　　2. 정부 과제 관리 유경험자
　　3. 원활한 커뮤니케이션 능력이 있으신 분

❖ **공통자격요건** : 1. 해외여행에 결격 사유가 없는 자
　　　　　　　　 2. 병역: 군필자 또는 병역 면제자

그림 3 셀바스에이아 2022년 채용 공고
출처 : 셀바스에이아이

셀바스에이아이는 2022년 회계 및 정부 과제 담당 직원 채용공고를 냈다. 직무내용으로는 회계 기초 업무, 정부R&D사업 관리가 있으며 우대사항으로는 IT / SW회사 근무 경험이 있거나 정부 과제 관리 유경험자 등이 있다.

---

2) 셀바스 AI, 감정까지 표현하는 인공지능 음성합성 기술 발표, IT World, 2019.10.25

2) 채용절차

그림 4 셀바스에이아이 채용절차
출처 : 셀바스에이아이

3) 취업 팁과 이슈

·직무소개[3]

개발직군	기획직군	생산직군	경영관리직군
- HW/SW 연구개발 및 상용화개발 - 기술개발 전략 수립 및 보유기술 관리	- 사업전략 및 상품기획 - 사업화 지원 및 신규시장 발굴	- 보조공학기기/ 의료진단기기 생산 및 제품 품질 관리	- 인사, 총무, 법무, 재무 등을 수행
영업직군	품질관리직군	마케팅직군	품질보증직군
- 보조공학기기/ 의료진단기기 기술 영업 - 국내외 제조사 및 거래처 영업	- SW 품질관리 및 Testing Service 프로젝트 형상 관리	- 제품 마케팅 기획 및 실행전략 수립 - 브랜드 매니지먼트 및 브랜드 마케팅 - 대내외 회사 홍보자료 관리	- 의료진단기기 인증 및 품질관리

---

3) 셀바스

·채용현황[4]

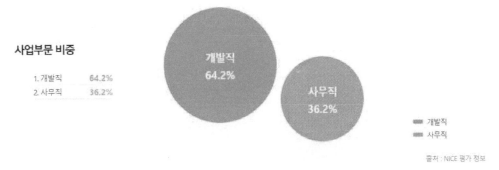

사업부문 비중

1. 개발직   64.2%
2. 사무직   36.2%

출처 : NICE 평가 정보

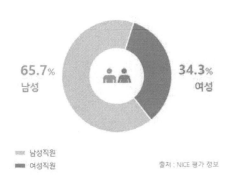

직원 남녀성비

65.7% 남성   34.3% 여성

남성직원
여성직원

출처 : NICE 평가 정보

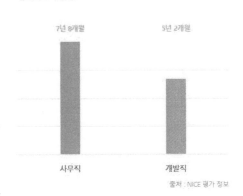

평균 근속연수

7년 8개월   5년 2개월

사무직   개발직

출처 : NICE 평가 정보

그림 5 셀바스에이아이 채용현황
출처 : 사람인

·연봉정보

2021년 평균연봉 계약직 포함 임원 제외

4,535 만원

최저   최고
2,594만원   6,778만원

2020년 대비   IT/웹/통신업 순위   연봉정보 신뢰도
▼ -7.77%   1000+   높음

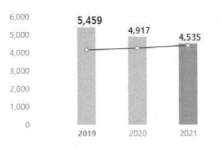

셀바스에이아이   IT/웹/통신업   (단위:만원)

6,000
5,000
4,000
3,000
2,000
1,000
0

5,459   4,917   4,535

2019   2020   2021

2021년 동종 업종 평균 대비 2.28% 높은 수준

출처 : 기업 전자공시자료(DART)

그림 6 셀바스에이아이 연봉정보
출처 : 사람인

---

4)사람인

·참고 내용

인재상	**Adaptability** Adaptability가 좋은 사람은 의심과 믿음, 집념과 포기, 도전과 안정 등 상반된 가치가 존재하는 사이에서 편향되지 않고, 지금 어떤 방향이 옳은지 판단하고 과감하게 결단하고 실행합니다. 편향되지 않은 유연한 사고와 어떠한 방향이 결정되더라도 잘 실행할 수 있는 다재다능한 역량을 갖춘 사람입니다. Adaptability 역량은 끊임없이 수양하고 노력하는 것입니다.
경영목표	'성장' 셀바스AI는 성장의 플랫폼으로 셀바스 구성원, 고객, 주주와 동반 성장을 추구합니다. 눈앞의 이익보다 장기 성장의 길을 선택합니다.
복지제도	Growth Up Program/ Growth Sharing Program/ 셀바스인/ 유연 근무제도/외국어 교육비 지원 / 직무발명 보상/ 업무 관련 비용 지원/ 인재추천 보상

나. 뷰노

[그림 7] 뷰노
출처 : 뷰노

뷰노는 딥러닝 기술을 이용하여 폐암을 진단하는 소프트웨어인 뷰노 메드(VUNO-Med)를 개발하였으며, 의료영상 인식 및 딥러닝 개발 알고리즘을 통해 환자들의 CT 사진과 진단 데이터를 모아 스스로 폐암 진단을 학습하는 기술을 개발했다.

또한 뷰노의 뷰노메드 본에이지는 국내 첫 인공지능 의료기기로, 성조숙증과 저신장 등 검사를 위해 촬영된 수골(손뼈) 엑스레이 영상을 AI가 자동으로 분석, 의사 판독 업무를 보조해주는 소프트웨어다. 이는 뼈 나이 측정 방법을 AI에게 학습을 시켜, 의사가 정확하고 빠르게 판단할 수 있도록 돕는다. 최근 뷰노메드 본에이지는 유럽 CE 인증을 받으면서 글로벌 시장 진출 교두보를 확보했다.

또한, 딥러닝 기반 분석 및 진단시스템 개발을 위해 서울아산병원과 제휴했으며, 2016년 9월 22일 SBI 인베스트먼트, 스마일게이트인베스트먼트, HB인베스 트먼트 등으로부터 총 30억원 투자금을 유치했다.

뷰노는 의료법인 혜원의료재단 세종병원, 메디플렉스 세종병원과 심전도 기반 심혈관질환 예측 및 진단기술 개발을 위한 공동기술개발 계약을 체결했다. 심혈관질환은 심부전, 심근경색, 부정맥 질환 등 단일 질환별 사망원인 1~2위를 기록할 정도로 심각한 질환으로 정확한 진단을 필요로 하며, 뷰노와 세종병원은 이번 공동기술개발 계약에 따라 세종병원 의무기록과 생체신호 등 각종 임상데이터와 자문을 기반으로 뷰노가 심전도 기반의 심혈관질환 예측 및 진단 인공지능 소프트웨어를 개발할 예정이다.[5)]

대구파티마병원(병원장 박진미)은 인공지능 기반 흉부 X-Ray영상 진단보조 의료기기인 뷰노메드 체스트 X레이(VUNO Med®-ChestX-Ray)를 도입해 운영한다. 인공지능(AI) 솔루션 개발기업 뷰노(대표 이예하)가 개발한 '뷰노메드 체스트 X레이'는 인공

5) 세종병원-뷰노, 심혈관질환 예측·진단기술 공동 개발 협약 체결, 이병문, 매일경제, 2019.01.28

지능 기반으로 환자 흉부 X레이 영상에서 주로 관찰되는 주요 비정상 소견을 학습해 영상 판독을 보조하는 의료 인공지능 솔루션이다. 솔루션 활용 시 의료진의 평균 판독 시간이 대폭 감소하는 등 병변 탐지 성능이 크게 향상된 것으로 나타났다. 특히 허가 임상 결과, 인공지능 의료기기의 정확도를 가름 짓는 민감도와 특이도 등은 국내에서 최고 수준이다.

 특히 뷰노메드 체스트 X레이에 적용된 딥 러닝 모델은 폐결절, 경화, 기흉, 삼출, 간질성 음영 등 주요 5대 소견에 대한 비정상 여부를 파악할 수 있고 결핵, 폐렴 등 주요 감염성 폐 질환에도 탐지할 수 있는 등 임상적 활용 범위가 넓다.[6]

―――――――――――――――――
6) 대구파티마병원, 인공지능기반 '뷰노메드 체스트 x-ray' 도입, 박재영, 의학신문, 2020.01.21

서비스 엔지니어(의료영상)

담당하실 업무에 대하여 소개 드립니다.

- AI 제품군(의료영상) 설치 및 유지 보수
- 유지보수 제품 수정 및 추가 개발
- 웹 어플리케이션 개발 및 웹 서비스 구축
- 클라우드 서비스 운영
-

아래 경험+자격을 갖춘 분과 함께 일하고 싶습니다.

- 관련 전공(컴퓨터공학, 소프트웨어학 등) 학사 이상이신 분
- 기술지원/개발 경력 3년 이상 이신 분
- Docker, Python을 사용할 줄 아는 분
- RDBMS/SQL 사용 경험 또는 지식을 보유하신 분

아래 경험+자격이 있다면 더 좋습니다.

- 의료장비업체 경력이 있으신 분
- Linux 설치, 유지보수, system admin 관련 경험이 있으신 분
- Azure/AWS 사용 지식이 있는 분
- Network 관련 지식 또는 자격증이 있으신 분

그림 8 뷰노 2022 서비스 엔지니어 채용공고
출처 : 뷰노

2) 채용절차

[서류전형] → [1차(실무진)면접] → [2차(경영진)면접] → [최종합격]

뷰노의 채용절차는 맨 처음 서류전형 후 1차(실무진)면접을 진행한다. 그 다음 2차 (경영진)면접 후에 최종합격순으로 진행이 된다

3) 취업 팁과 이슈

·직무소개[7]

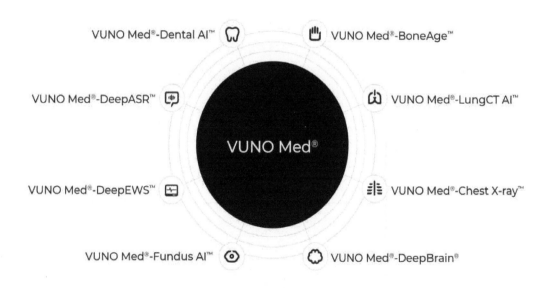

·채용현황[8]

---

7) 뷰노
8) 사람인

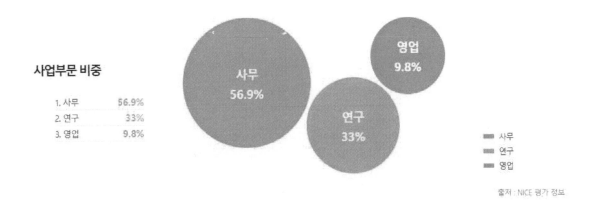

사업부문 비중

1. 사무   56.9%
2. 연구   33%
3. 영업   9.8%

■ 사무
■ 연구
■ 영업

출처 : NICE 평가 정보

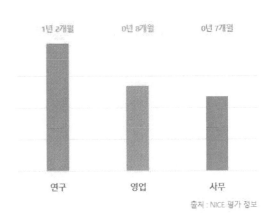

직원 남녀성비

80.2%
남성

19.8%
여성

■ 남성직원
■ 여성직원

출처 : NICE 평가 정보

평균 근속연수

1년 2개월   0년 8개월   0년 7개월

연구   영업   사무

출처 : NICE 평가 정보

그림 12 뷰노 채용현황
출처 : 사람인

·연봉정보

그림 13 뷰노 연봉정보
출처 : 사람인

·참고 내용

인재상	서로 유기적으로 움직이며, 의료 인공지능 솔루션을 실현하는 과정에 두조적으로 참여하는 인재
경영목표	View the invisible, Know the Unknown 뷰노는 진단의 일치도 혹은 정확도가 낮은 질환을 볼 수 있게 하고 최적의 치료법 선택 혹은 탐색을 위해 알려지지 않은 바이오마커 개발을 목표로 한다.
경영문화	주도적 문제해결/ 고객의 시각/ 서로 존중하며 소통, 협업/ 수평적 관계에서 구조적인 업무

다. 루닛

[그림 14] 루닛

루닛은 딥러닝 기술을 기반으로한 의료 영상 진단 서비스 기업으로 딥러닝 모델을 대량의 의료데이터로 학습시켜, 사람의 시각만으로는 한계가 있었던 기존 의료 영상 판독의 정확성과 객관성을 높일 수 있는 핵심 기술을 개발했다. 루닛은 이를 통해 의사의 진료 지원 및 진료의 정확성 향상에 기여했다.

루닛은 2018년 식품의약품안전처로부터 의료기기 허가를 받았다. 루닛 인사이트 (Lunit INSIGHT for Chest Radiography Nodule Detection)는 흉부 엑스선 영상에서 폐암 결절로 의심되는 이상 부위를 검출해 의사 판독을 보조하는 의료영상 검출 소프트웨어로서 2등급 의료기기에 속한다.

루닛은 독자적인 딥러닝 기술로 최대 97% 정확도를 달성했으며 갈비뼈나 심장 등 다른 장기에 가려 놓치기 쉬운 결절도 정확히 찾아낼 수 있도록 개발했다. 서울대학교병원에서 실시한 연구에 따르면 루닛 인사이트를 통해 폐 결절 진단 시 흉부 영상의학과 전문의를 포함한 18명 의사 판독정확도가 모두 향상됐다. 특히 일반 내과의의 판독 정확도는 최대 20% 향상됐다.

최근 루닛은 국내외 7개 기관 투자자로부터 300억 원 규모의 시리즈C 투자를 유치했다. 이는 2018년 160억 원의 시리즈B 투자를 받은 뒤 1년 여 만으로, 이번 투자에서는 기존 주주인 중국 최대 밴처캐피탈리스트(VC) 레전드캐피탈을 비롯해 인터베스트, IMM인베스트먼트, 카카오벤처스가 추가 투자에 참여했다. 신규 투자자로는 신한금융투자, NH투자증권, LG CNS가 합류했다.[9]

---

9) 의료AI 기업 '루닛' 300억 원 시리즈C 투자 유치, 동아사이언스, 2020.01.06

한편, 의료 인공지능(AI) 기업 루닛이 2020년 글로벌 시장조사업체 CB인사이트가 선정한 '디지털 헬스 150 기업'에 이름을 올렸다고 밝혔다. 한국 기업으로는 유일하게 2019년에 이어 2년 연속 이름을 올렸다. 글로벌 시장조사업체 CB인사이트는 2019년부터 디지털 헬스 기업 150곳을 선정해 '세계에서 가장 유망한 디지털 헬스 스타트업 목록'을 공개하고 있다. 루닛은 '이미징'(Imaging) 부문에 이어 2020년 '검진 및 진단'(Screening & diagnostics) 부문에 이름을 올렸다.

150개 기업 중 아시아 기업은 12개로, 한국에서는 루닛이 유일하다. 루닛이 속한 검진 및 진단 분야에서는 인도 '큐어닷 AI', 중국 '인퍼비젼' 등이 포함됐다.[10]

1) 채용공고 소개

모집부문 / 상세내용

사용 기술

Jira </> ERP </> SAP Slack — Google Workspace Confluence

주요업무

*This position is open for candidates who reside in Korea and have a Korean proficiency appropriate for working in a korean business

- 사내 IT 지원 업무로 각종 IT 문제 해결 및 대응
- 사내 IT 문제 취합 및 유지보수 업체 관리
- 원활한 업무 환경을 위한 IT 시스템/솔루션 운영

자격요건

- 컴퓨터 공학, 전산학 등 관련 전공
- IT Support / IT Helpdesk 또는 유사 직무 경력 2년 이상
- 적극적이고 원활한 커뮤니케이션 능력
- 업무상 영어 사용 가능

우대사항

- 서버, 네트워크 등 전반적인 IT 시스템에 대한 이해
- 다양한 협업 tool에 대한 운영 및 관리 경험 (Google workspace, Slack, Jira, Confluence 등)
- SAP등 ERP 운영 및 관리 경험
- 문제에 대한 명확한 파악 및 빠른 판단 능력

그림 15 루닛 2022년 IT Support / IT Helpdesk 채용공고
출처 : 사람인

---

10) 루닛, CB인사이트 '디지털 헬스 150 기업' 2년 연속 선정, 2020.8.18. 연합뉴스

2) 채용절차

• Document Screening → Competency-based Interview → Culture-fit Interview → Onboarding

그림 16 루닛 채용절차
출처 : 사람인

3) 취업 팁과 이슈

·직무소개[11]

Research Engineer	- 새로운 의학적 발견을 위한 머신러닝 연구 - 최신 CV/ML분야에 소개된 State-of-the-art 모델구조, 모듈, 학습방법들을 우리의 문제에 맞게 구현하여 적용 - AutoML이나 기타 엔지니어링 기법을 적용해 Hyper-parameter나 모듈, 모델 구조를 성능에 최적화 - AI모델의 일반화 성능을 높이기 위해 고도화된 이미지 처리 기술을 학습의 Augmentation이나 테스트에 적용 - 새로 추가된 학습 데이터셋을 반영하여 학습 - 전문가 수준의 프로그래밍 역량을 발휘하여 AI 모델 개발 프레임워크를 고도화 - 학습 및 검증을 위해 사용하는 코드의 효율성, 확장성, 안정성을 분석하여 개선 - 학습 및 검증을 위해 사용하는 코드를 분산 클러스터나 TPU(Neural Processing Unit)와 같은 최신 AI개발 환경에 맞게 개선하여 최고 효율의 실험환경을 유지 - 대규모의 Inference 작업을 지원 - 새로운 의학문제에 대해 빠르게 초기 모델을 설계하고 학습
Web-Frontend Engineer	- 루닛의 인공지능 제품에서 사용자가 직접 접하는 UI를 웹 프론트엔드 기술로 개발 - 인공지능 개발을 위한 데이터 수집, 레이블링, 검증, 시각화를 위한 내부 프로젝트를 진행 - 다양한 프론트엔드 프로젝트의 워크로드를 관리하고 유관 부서와의 업무협조를 조율

---

11) 루닛

	- 프론트엔드 프로젝트에 전반적으로 사용 가능한 기술 스택 검토 및 공통 라이브러리와 컴포넌트를 디자인 - 프론트엔드 프로젝트에 전반적으로 사용 가능한 기술 스택 검토 및 공통 라이브러리와 컴포넌트를 디자인 - 다른 프론트엔드 엔지니어와의 상호 코드 리뷰 및 성장을 위한 멘토링
Business Development Manager	- 현 민간사업 수행 및 확장 - 신규 기회 발굴 - 제품에 대한 이해를 바탕으로 한 소개 및 고객 니즈에 따른 컨설팅 - 시장 및 고객, 경쟁사에 대한 조사와 이해
Product Manager	- 제품에 관련한 이해관계자별 니즈 파악 및 문제 정의 - 개발 및 운영에 필요한 기획 문서 작성 - 개발 과정상 다양한 유관 부서와 협업하고 발생이슈를 해결 - 요구사항 정의부터 개발까지 제품 개발과정 전반에 걸친 품질 관리 - 시장 동향 및 경쟁 기업 조사를 통한 제품기능 개선 기획
PR Manager	- 국내 홍보 기획 및 전략 수립 - 한글 보도자료, 대외 공지, 브로셔 등 홍보물 콘텐츠, 한글 블로그 및 SNS 포스팅 등 작성/검수 - 미디어 네트워크 수립 및 형성, 기사 피칭 - 온오프라인 뉴스 및 매체 모니터링 - PR 리스크 관리 및 이슈 대응 - 기타 브랜딩/커뮤니케이션 프로젝트 참여

· 채용현황

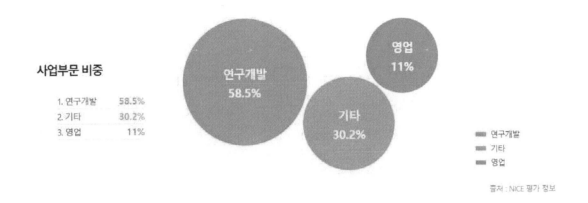

사업부문 비중

1. 연구개발   58.5%
2. 기타   30.2%
3. 영업   11%

연구개발
58.5%

기타
30.2%

영업
11%

■ 연구개발
■ 기타
■ 영업

출처 : NICE 평가 정보

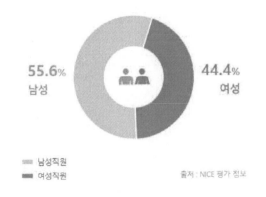

직원 남녀성비

55.6% 남성   44.4% 여성

■ 남성직원
■ 여성직원

출처 : NICE 평가 정보

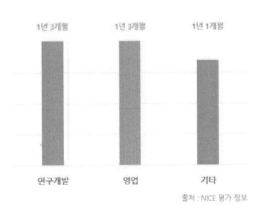

평균 근속연수

연구개발	영업	기타
1년 3개월	1년 3개월	1년 1개월

출처 : NICE 평가 정보

그림 17 루닛 채용현황
출처 : 사람인

·연봉정보

출처 : 사람인 내부 수집자료 분석

그림 18 루닛 연봉정보
출처 : 사람인

·참고 내용

인재상	Be original/Motivate yourself/ Live to learn/ Build with evidence/ Push for craftsmanship/ Love on another
비전	Crazy Obsession in our technology/ Value creation over profit/ Heart of a world champion
미션	인간과 기술을 연결하여 삶에 유익한 변화를 만들어 나간다. 세계적인 인공지능 기술력으로 '데이터 기반의 정밀 의료'가 이끄는 새 시대를 선도한다. 인공지능 솔루션을 통해 의료비를 줄이고 생존율을 dhvdu 오늘날 암 진단 및 치료의 가장 큰 문제들을 해결하고자 한다.
복리후생	정기 인공지능, 의료세미나 개최/ 대규모 고품질 인공지능 학습데이터 보유/ 딥러닝 DevOps 시스템/ 학회 참석 및 교육비, 도서 구매 지원/ 1:1 영어수업/ 개인선호장비지급/ 출퇴근 시간과 휴가 및 재택근무는 자유/ 식사지원/ 사내 소모임 활동지원

라. 누가의료기

[의료기기 강소기업 '누가의료기']

 의료기기 강소기업 (주)누가의료기는 시간과 장소의 제약 없이 사용 가능한 폐 기능 진단 기기인 '누가윈드(NUGAWIND)'를 개발하고 지난해 식약처로부터 신제품 진단폐활량계로 허가를 받아 관련 마케팅 활동을 본격적으로 확대하고 있다.

 이 디바이스는 스마트폰과 연동되어 비대면으로 폐 기능을 진단하게 해준다. 디바이스를 통해 측정된 데이터는 스마트폰 앱을 통해 모아진 후 병원 시스템에 전송되어 진단 목적으로 활용될 수 있어 향후 확대될 원격 의료 서비스 시장에서 가치가 높다는 것이 업체 설명이다.[12]

 한편, 글로벌 의료기기 전문기업 누가의료기가 14일간 집에서 제품을 체험할 수 있는 '홈체험 서비스'를 시행하고 있다는 소식을 덧붙였다. 이는 코로나19로 인하여 많은 사람들이 대리점 방문이 어려워졌으므로, 홈체험 서비스를 통해 소비자들이 지속적으로 제품을 사용해볼 수 있도록 고안되었다.

 누가의료기의 홈 체험 서비스는 2주동안 집에서 편안하게 누가의료기 제품을 체험할 수 있는 서비스로, 체험 후 구매하지 않아도 설치비 9만 5천원 외에 추가 부담금은 없으며 사용 후 구매로 이어지는 경우에는 설치비를 환불해 주는 혜택을 제공하고 있다.[13]

---

12) 비대면으로 더 똑똑해진 의료⋯국내 스마트 헬스케어 시장 활기, 2021.4.8. 이데일리
13) 누가의료기, 집으로 찾아가는 '홈체험 서비스' 개시, 2021.03.26. 데일리안

1) 채용공고 소개[14]

회로설계	제품 H/W 설계	1명
		(대리급)
			경력	·[필수] 해당직무프로그램 사용능력 중상급 이상
				  (OrCAD, PADS, Altium 외)
				·[필수] 해당업무관련 3년 이상 경력자
				·전기전자공학, 의용공학 및 공학계열 전공자
				  (대졸 이상)
				·의료기기, 가전, IT 분야 회로설계 경력자 우대
					원주본사

그림 20 누가의료기 2022년 제품 H/W 설계 채용공고

2) 채용절차

 전형절차

· **서류전형 > 1차면접 > 2차임원면접 > 최종합격**

※ 필요에 따라 실기평가 실시될 수 있으며, 면접 일정은 추후 통보됩니다.

그림 21 누가의료기 채용절차
출처 : 잡코리아

---

14) 사람인

3) 취업 팁과 이슈

·직무소개[15]

누가 의료기기 연구 개발센터	신제품을 연구하고 개발하는 센터로, 2005년 한국 산업기술 진흥협회로부터 기업부설연구소인정서를 획득하여 누가베스트의 기술개발을 리드하고, 세계적 기업으로 발돋움하는데 중추적인 역할을 한다.
누가 IT 융합 의료기기 연구소	누가 IT 융합 의료기기연구소는 연세대학교 내 첨단연구소로, 연세대학교와 산학 협력하여 미래 유망 산업인 U-헬스케어를 연구개발하고 있다.
누가 한방의료기기 연구소	누가 한방 의료기기 연구소는 상지대학교 한방 의료기기 산업 진흥센터와 연계하여 한의학적 측면의 의료기기를 연구한다. 2008년 기업부설연구소로 설립되어 한방병원의 한의학적 임상을 기초로 양,한방 복합의료기기의 핵심연구소로 거듭나고 있다.
독일 프라운호퍼 국제공동연구센터	2011년 프라운호퍼 연구소와 국제공동연구협약 체결 후 글로벌 첨단 의료기기 연구개발의 허브를 구축하기 위해 연구한다.
누가 의료기 NDT 연구소	세계적인 첨단세라믹 소재연구소인 독일 프라운호퍼 연구소와 합작하여 개발한 누가베스트만의 특허소재인 토르마늄과 MDT 세라믹을 연구개발 및 생산한다.

---

15) 인크루트

·채용현황

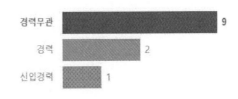

채용했던 직종 순위

TOP 2 서비스
TOP 3 구매·자재·물류
TOP 1
생산
TOP 4 운전·운송·배송

지난 채용 횟수

경력무관 9
경력 2
신입경력 1

그림 22 누가의료기 채용현황
출처 : 사람인

직원 수

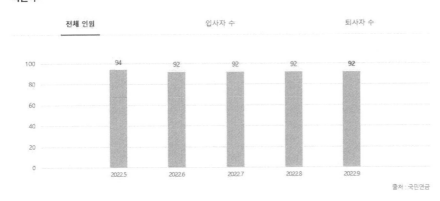

전체 인원   입사자 수   퇴사자 수

2022.5	2022.6	2022.7	2022.8	2022.9
94	92	92	92	92

출처 : 국민연금

그림 23 누가의료기 직원 수
출처 : 사람인

·연봉정보

2021년 평균연봉 계약직 포함 임원 포함

4,659 만원

최저   최고
2,583만원   **6,226**만원

2020년 대비   제조/화학업 순위   연봉정보 신뢰도
▼-10.9%   1000+   보통

■ 누가의료기 —○— 제조/화학업   (단위:만원)

2019	2020	2021
5,135	5,229	4,659

2021년 동종 업종 평균 대비 9.19% 높은 수준

출처 : 사람인 내부 수집자료 분석

그림 24 누가의료기 연봉정보
출처 : 사람인

·참고 내용

기업이념	주식회사 누가의료기는 단순한 의료기 제조 기술이 아닌 사용자 중심의 고객 편리성과 공간 디자인 개념을 도입한 인테리어 디자인등 현재의 기술력에 만족하지 않고, 끊임없는 연구개발비의 투자로 최고의 기술력을 갖출 수 있도록 최선의 노력을 다할 것입니다. 이러한 기술력을 바탕으로 철저한 고객관리를 통한 BS(Before Service)를 실시함으로써 고객이 요구하기 전에 먼저 달려가는 능동적인 기업이 되겠습니다.
비전	창의적인 도전과 멈추지 않는 열정을 통해 글로벌 의료기 기업으로 거듭나고 있습니다.
미션	건강/사랑/봉사, 사람을 먼저 생각하는 기업
복리후생	연금,보험/ 경조휴가/ 각종 경조금지원/ 사내식당/ 사내 동호회 운영

02

인공지능 헬스케어 산업 관련 기본 개념들

2. 인공지능 헬스케어 산업 관련 기본 개념들

가. 스마트 헬스케어[16]

우리는 인공지능 헬스케어에 대해 살펴보기 전, **스마트 헬스케어**에 대해 먼저 알아볼 필요가 있다. 스마트 헬스케어는 인공지능 헬스케어를 포함하는 큰 개념으로, 4차 산업혁명의 핵심 ICT 기술인 **빅데이터, 인공지능(AI) 사물 인터넷(Internet of Things, IoT), 클라우드 컴퓨팅 등을 헬스케어와 접목한 분야**이다.

기본적인 산업 구조를 살펴보면, 소비자가 일상생활이나 의료기관 등 전문기관에서 생성해 낸 데이터를 데이터 전문 기업이 수집 및 분석하여, 이를 의료 및 건강관리 기업이 다시 활용하여 소비자에게 자문 및 치료 서비스를 해주는 구조이다.

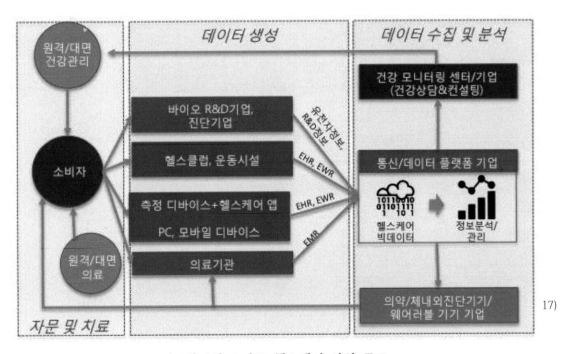

[그림 26] 스마트 헬스케어 산업 구조

스마트 헬스케어는 ICT 기술을 활용하여 인간의 건강을 개선하는 다양한 방법론을 의미한다. **스마트 헬스케어는 원격진료, 스마트 헬스, 모바일 헬스를 포괄하는 광의의 개념**으로, 기존 헬스케어 산업과 비교하여 산업의 주도권이 의료영역(의료기관, 환자)에서 일반 소비영역(일반제조기업, 소비자)까지 확대된 형태를 보인다.

---

16) 스마트헬스케어, 한국IR협의회, 2019.09.19
17) 스마트헬스케어, 한국IR협의회, 2019.09.19

1) 스마트 헬스케어와 인공지능

스마트 헬스케어 **인공지능(Artificial Intelligence, AI) 활용 기술**은 기존 의료 데이터와 신규 의료 데이터, 유전자 데이터, 환자 상태 정보로 인해 **방대해진 의료데이터들을 인공지능 기술로 활용하는 기술**을 말한다. 즉, 인공지능 스스로 학습 및 분석하여 헬스케어 산업에 적용함으로써 진료 프로세스 효율화, 의사결정 지원, 질병 예측, 맞춤형 치료 등 새로운 고부가가치형 의료 서비스 제공 등의 새로운 부가가치를 창출하는 기술을 의미한다.

[그림 27] 인공지능 헬스케어의 개념

인공지능 기술은 다양한 형태를 가진 방대한 규모의 의료 빅데이터를 분석 및 활용할 수 있는 기술들 중 가장 각광받고 있는 기술로서, 보다 정밀한 진단으로 의료 현장에 막대한 파급력을 끼치리라 예상된다.

2016년 BioKorea에서 발표된 자료에 의하면, IBM 왓슨의 암진단 정확도는 현재 96%로 상승하여, 전문의보다 높다고 평가되고 있다. 인공지능 기술의 발전으로 헬스케어 산업에 인공지능 기술의 적용은 새로운 혁신적인 의료 서비스의 등장을 가속화할 것으로 기대되고 있으며, 이는 의료의 질적 수준을 향상 시킬 수 있는 핵심 기술로서의 중요성이 부각되고 있다.

특히, 최근 IoT와 웨어러블 디바이스 등의 다양한 센서를 통해 실시간으로 건강관련 데이터와 개인의 생체정보 확보가 가능해졌기 때문에, 대용량의 데이터를 쉽게 획득할 수 있게 되었다. 이렇게 확보된 대용량의 데이터는 다양한 인공지능 기술에 사용되며, 이처럼 인공지능 기술을 통해 분석된 정보는 질병 예측 및 예방, 환자 맞춤형 질병 치료, 영양 및 건강관리, 수술로봇, 보험상품, 신약개발 등 헬스케어 산업에 다양하게 활용되어 새로운 가치창출의 견인차 역할을 할 것으로 전망된다.

---

18) 인공지능 헬스케어의 산업생태계와 발전방향, 김문구, ETRI, 2016

인공지능 헬스케어는 방대한 양의 데이터를 바탕으로 환자의 생명을 다루는 의료업계에서 정확한 진단 및 의사결정 지원도구로써 중요한 의미가 있다. 결과적으로 이를 통해 의료 서비스의 수준을 향상시킬 수 있기 때문에 헬스케어 산업에서 인공지능은 많은 관심을 받고 있다. 또한, 의료산업에서 인공지능은 의료 서비스 수준의 향상 뿐만 아니라, 비용절감으로 이어지기 때문에 많은 전문가들은 인공지능을 통해 의료시장이 크게 성장할 수 있을 것으로 전망한다.

인공지능 기술	헬스케어 적용
머신러닝, 딥러닝	대규모 의료 빅데이터를 기반으로 스스로 학습하고 데이터를 분석함으로써 질병 예측, 신약개발 촉진 및 의료진에 대한 의사결정 지원
영상인식 기술	환자의 MRI(Magnetic Resonance Imaging), PACS(Picture Archiving and Communication System) 등 의료영상데이터의 의료영상이미지를 학습 및 분석하여 질환에 대한 진단정보 제공으로 의사의 진단과 처방을 지원
음성인식 기술	진료시 의사와 환자간 대화가 음성인식 시스템을 통해 자동으로 컴퓨터에 입력, 저장되는 의료녹취 서비스 제공으로 의료기록 작성에 소요되는 시간 단축
자연어 처리 기술	임상시험 적합환자 선발과 같이 방대한 자료를 이해하고 검토 및 분석하는 경우, 자연어 처리 기술을 적용하여 의료진의 업무 부담 경감 및 의료 업무 효율성 극대화

[표 8] 인공지능 기술의 헬스케어 적용 및 성과

인공지능 기술은 기하급수적으로 늘어나는 의료데이터 분석 및 Insight 도출을 통해 산업 활성화 및 의료 질적 수준 향상을 위해 직면한 문제점을 해결할 방안으로 떠오르고 있다.

건강관리와 의료서비스 분야에 인공지능 기술이 도입 및 활용되기 시작하였고, 또한 의료 영상이나 분석, 진단 등 다양한 분야에서도 인공지능 기술이 활용되고 있다. 의료기관에서 발생하는 텍스트 기반 대규모 의료 데이터, 의사와 환자 간 대화, 방대한 분량의 영상의료데이터 등에 인공지능 기술을 적용함으로써 개인의 의료편익 증대 및 의료 산업의 성장 촉진이 기대된다.

2) 스마트 헬스케어와 빅데이터

스마트 헬스케어 빅데이터 활용 기술은 기하급수적으로 늘어나고 있는 헬스케어 데이터들을 스마트 기기(웨어러블, 스마트폰, 스마트 의료기기 등)를 통해 분석·활용함으로써 만성 질환 관리 서비스, 질병 예방 서비스, 진단 및 치료 서비스 등 의료서비스의 혁신을 이룰 수 있는 기반을 만들어 주는 기술을 지칭한다.

최근 헬스케어 산업의 패러다임이 질병이 발생한 후에 치료를 받는 치료.병원 중심에서 스스로 건강을 관리하는 예방.소비자 중심으로 변화하면서 헬스케어 산업 내 빅데이터 분석이 더 중요해지고 있다. 임상, 유전자, 생활습관 등 개인이 생성하는 다양한 의료 데이터는 정밀 의료 구현의 토대가 되기 때문이다.

개개인이 생성해내는 방대한 양의 비구조화 데이터를 분석하게 되면 기존의 정형화된 치료방식이 아닌 개인에게 맞춰진 정밀 치료를 할 수 있게 되고 효과는 극대화될 수 있다. 이에 따라 헬스케어 각 과정에서 발생하는 방대한 양의 데이터를 어떻게 모으고 활용하는지가 매우 중요해지고 있다.

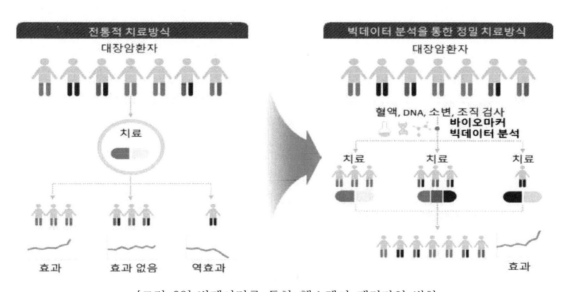

[그림 28] 빅데이터를 통한 헬스케어 패러다임 변화

McKinsey에 따르면, 헬스케어 분야에서 빅데이터를 적절하게 활용하게 되면 연간 최대 1,900억 달러의 비용 절감을 실현시킬 수 있다. 특히 임상시험 단계에서 빅데이터를 활용하면 최소 750억 달러에서 최대 1,500억 달러의 비용절감 효과를 보일 것으로 분석되고 있다.

예를 들어 다양한 의약품의 임상시험을 설계할 때 어떤 방식이 가장 효율적인지 빅데이터 분석을 통해 찾아낼 수 있다. 또한 AI 기반의 머신러닝 기술을 빅데이터 분석에 활용하면 임상시험의 성공률을 높이고 오차를 쉽게 찾아내서 향후 임상시험 비용과 기간을 단축시키는 긍정적인 효과로 이어질 수 있다.

3) 스마트 헬스케어와 IoT

스마트 헬스케어 IoT 활용 기술은 전통적인 의료정보에는 존재하지 않는 환자의 실시간 건강상태 변화에 대한 정보를 파악할 수 있게 해 주며, 환자의 행동변화와 반응에 관련되는 life-log 정보를 통해 환자의 상태를 감지, 예측, 추론하는데 필요한 정보를 제공하여 헬스케어 서비스의 효과성을 높이는데 기여하고 있다.

IoT 기술은 센서나 웨어러블 같은 사물(Things)들이 유·무선 통신 네트워크(4G, 5G, Wi-Fi, Bluetooth, ZigBee 등)를 통해 인터넷에 연결되어 서로 통신하는 기술이다. IoT 기술이 헬스케어 분야에 적용되면 환자를 실시간으로 모니터링 가능하고, 불필요한 병원 방문과 입원을 줄임으로써 의료비용 또한 절감이 가능하다. 또한 실시간 데이터를 통해 적절한 시기에 치료가 가능하게 됨에 따라 치료 효과가 향상되고 환자 편의성이 증대할 것으로 예상된다.

헬스케어 분야의 IoT 표준화는 OCF(Open Connectivity Foundation)에서 진행되고 있으며, 2018년 6월에는 헬스케어 기기들을 지원하는 OCF 2.0 표준을 제정했다. 헬스케어 기기들과 병원의료 시스템 간의 호환성, 연동성 등을 고려하여 표준을 개발할 때 적극 반영할 필요가 있다. IoT로부터 수집한 방대한 규모의 의료데이터는 높은 수준의 신뢰성과 보안성을 요구하는 매우 민감한 개인정보이기 때문에, 이에 따른 정보 유출 문제를 해결할 수 있는 방안이 필요하다.

나. 인공지능 헬스케어의 부상 배경

인공지능 헬스케어의 부상 배경은 크게 4가지로 나누어 볼 수 있다.

① 보건의료 패러다임의 변화

보건의료 패러다임은 과거 단순 치료중심에서 사전 진단, 예방 및 맞춤형 치료로 변화하고 있다. 특히 사전진단, 예방 및 건강관리에 대한 관심이 증대하고 있으며 분자영상의 진단의 발전으로 질병의 조기 진단 및 맞춤형 치료가 가능해졌다.

이러한 보건의료 패러다임의 변화는 인구 고령화의 진전으로 의료비 부담이 가중됨에 따라 의료비 지출을 줄이기 위한 혁신적인 의료서비스에 대한 소비자의 니즈가 증가하며 더욱 빠르게 변화하고 있다고 할 수 있다.

② 의료데이터의 빠른 증가

의료데이터는 2020년까지 73일마다 2배씩 늘어날 것으로 전망된다. 또한 IDC에 의하면 의료데이터의 양은 2012년 약 500PB에서 2020년 25,000PB로 약 50배가 증가할 것으로 전망된다.

이처럼 폭발적으로 늘어나는 의료데이터를 분석하고 이를 통해 인사이트를 도출하여 산업을 활성화 시키고 의료의 질적 수준을 향상시키기 위해 직면한 다양한 문제점을 어떻게 해결해야 할 것인지가 최근 중요한 이슈 중 하나로 부각되고 있다.

③ 기술의 발전

사물인터넷(IoT), 모바일 인터넷, 스마트 웨어러블 디바이스 등과 같은 ICT 인프라의 획기적인 발전과 의료기관 의료영상전송장치(PACS, Picture Archiving and Communication System)의 기술적 완성도 및 보급률이 증가했고 이와 함께 의료기술, 빅데이터, 인공지능 기술의 발전과 ICT의 상호결합은 헬스케어 산업에서의 활용가능성을 증대시킴으로써 보다 혁신적인 서비스 창출에 대한 기대감을 높이고 있다.

또한, 최근 빅데이터와 클라우딩 기술을 통한 데이터 수집과 분석이 용이해지고 인공지능 기술의 발전이 빠르게 진전됨에 따라 헬스케어 산업에서 인공지능 기술의 적용은 새로운 혁신적인 의료서비스의 등장을 가속화할 것으로 기대된다.

④ 의료분야에서 인공지능의 중요성 부각

인공지능 기술은 의료의 질적 수준을 향상시킬 수 있는 핵심 기술로서 중요성이 부각되고 있다.

건강관리 및 의료서비스 분야에 인공지능 기술이 도입 및 활용되기 시작하였으며, 의료영상 분석이나 진단, 신약개발 연구 분야 등에도 인공지능 기술의 활용이 본격화되고 있다.

인공지능 기술 발전은 방대한 데이터의 통합·분석을 통해 헬스케어 분야의 새로운 가치를 창출할 것으로 기대되고 있으며 의료분야에 인공지능 기술의 도입은 개인 맞춤형 치료 제공을 통해 의료의 질을 향상시킬 뿐만 아니라 신약개발의 속도와 효율성을 개선시키고 있다.

또한, 고령화로 인한 의료비 부담이 예상됨에 따라 인공지능 기술을 활용함으로써 질병의 정밀진단 및 조기발견으로 의료의 질적 수준 향상과 의료비 절감에 대한 니즈가 증가하고 있으며, 인공지능 기술은 진단이나 처방 등 일부 영역에서 인간의 실수로 인한 오류를 보완하는데 뛰어난 기술력을 지니고 있다.

다. 헬스케어분야의 인공지능 기술

① 기계학습/딥러닝

기계학습과 딥러닝은 새로운 데이터가 주어졌을 때 프로그램화된 논리나 정형화된 규칙 등을 바탕으로 스스로 학습 할 수 있는 컴퓨터 프로그램이다. 딥러닝은 기계학습의 한 분야로 숨겨진 다층구조 형태의 신경망을 기반으로 사람이 모든 판단기준을 정해주지 않아도 스스로 인지·추론·판단 할 수 있는 컴퓨터 프로그램이다.

기계학습과 딥러닝은 의료분야에서 의료 빅데이터를 기반으로 스스로 데이터를 분석하여 신약개발 및 의료서비스 의사결정하는 과정에 도움을 제공하고 있다. 최근 인공지능 기술 중 딥러닝의 발전이 가장 눈부시며, 영상 및 음성인식 기술과 접목하여 다양하고 새로운 헬스케어 서비스를 창출하고 있다.

② 자연어처리

자연어처리는 인간의 언어를 컴퓨터가 이해할 수 있도록 지식 및 기술을 연구하는 분야로, 의료분야에서는 텍스트 기반의 자연어처리와 관련하여 IBM 왓슨은 세계 최고 수준의 기술을 보유하고 있다.

③ 영상인식

영상인식은 사진, 동영상 등의 외부사물이 주어졌을 때 이미지 속 대상이 무엇인지 분별하고 위치를 파악하는 분야로 딥러닝 기술이 접목되어 가장 괄목할만한 성과를 나타내고 있다. 의료분야에서 영상인식은 의료이미지분석을 통해 의사들의 진단과 처방에 도움을 제공하고 있으며, 초기 진단시장에 진출할 가능성이 높다.

④ 음성인식

음성인식은 음향학적 신호를 컴퓨터가 듣고 텍스트 정보로 맵핑하는 과정으로 사물인터넷과 접목하여 높은 파급력이 기대되는 분야이다. 의료분야에서 음성인식은 의료녹취, 실시간 대화 통역 등으로 의료산업에 도움을 제공할 것으로 전망되며, 이를 통해 의료기록 작성에 들어가는 시간을 단축할 수 있을 것으로 전망된다.

기업	적용형태	적용부문
딥러닝	스스로 학습하는 능력을 이용해 대량의 의료 영상기록을 처리함으로써 의료진의 치료 결정에서의 불확실성 감소	진단영상, 헬스케어 IT
영상처리	대규모 의료영상을 빠르게 처리해 질환 형태, 음성/양성 판단 등에 적용	
자연어처리	진료 기록과 같은 긴 서술형 문자 묶음들을 해석할 수 있도록 변환	의료기기, 헬스케어 IT
음성인식	환자의 음성과 언어를 포착해 중요한 정보를 전자 기록함에 기록	
통계분석	대용량 환자의 의료데이터를 빠르게 조사하고 분석하여 환자의 치료 결과를 예측 가능	의약품, 헬스케어 IT
빅데이터 분석	헬스케어 기관들이 보유한 방대한 환자 의료데이터를 처리하고 환자와 치료제공자들에게 맞춤형 권고를 제공	
예측 모델링	위험 질환 예측 등과 같은 진료 결과를 예측하는데 수학 모델 적용	
로보틱스	수술 과정의 정밀함과 정확도를 높여 질 높은 치료를 제공	의료기기, 헬스케어 IT
디지털 개인 비서	환자의 상태를 알 수 있는 지표들을 지속적으로 모니터링하고 필요 상황에 간호사에게 알림을 줌으로써 골든타임 확보	
머신러닝	치료결과에 영향을 미치는 데이터를 기반으로 패턴 예측 및 분석	헬스케어 IT

[표 9] 인공지능 기술의 헬스케어 분야 적용 현황

라. 헬스케어분야의 인공지능 활용 현황[19]

인공지능이 바꿀 것으로 예상되는 헬스케어산업 분야는 크게 제품과 서비스 두 가지로 나눠서 살펴볼 수 있다.

① 제품의 혁신

먼저, 첫 번째 '제품'은 병을 진단하거나 치료하는 기기의 엄청난 발전을 불러올 것이며, 두 번째 '서비스'는 사람의 건강 유지 및 관리를 위한 다양한 서비스의 발전을 불러올 것이다.

첫 번째 '제품'의 영역을 조금 더 깊이 살펴보면, 지금까지 사람의 판단에 의존해 온 여러 가지 치료법들을 인공지능이 대체할 가능성이 매우 크다. 인공지능은 혈액, 유전자, 신체조직 등을 면밀히 분석해 병의 발병 상황 및 그 가능성을 판단해 즉시 알려줄 것이며, 질병이 있는 환자의 경우 면밀히 분석한 데이터를 의료진에게 보고해 적절한 치료법을 즉시 받을 수 있도록 안내할 것이다.

한 예로 IBM '왓슨'은 환자의 진단정보와 논문 등 각종 의학정보를 분석해 의사에게 적합한 치료법과 근거를 제공하고 있다. 의사는 왓슨의 제안 내용을 바탕으로 최적의 치료법과 우선순위에 따라 환자를 진료하게 된다.

무엇보다 신약 개발 분야에서도 인공지능은 무한한 가능성을 제공할 것이다. 보통 신약 개발에는 많은 시간과 비용을 들여야만 하는데, 인공지능 기술 덕분에 시간과 비용을 절약할 수 있으며, 그동안 개발하지 못했던 희귀 질환을 치료할 수 있는 신약도 앞으로 개발될 가능성이 높다.

국내 신약 개발 분야의 스타트업 '스탠다임(Standigm)'도 인공지능 기술과 시스템 생물학 기술을 접목해 신약 개발 기간을 획기적으로 단축할 수 있는 컴퓨터 모델링 기술을 개발한 바 있다. 스탠다임의 이 기술은 방대한 데이터를 분석해 인간이 생각하기 어려운 패턴을 파악하는 것이 핵심으로, 딥러닝 알고리즘을 기반으로 정보를 분석·통합해 신약이 될 가능성이 가장 높은 후보를 예측해 낸다. 단순히 결과를 예측할 뿐만 아니라, 해당 후보가 어떻게 만들어지는지에 대한 설명까지 제공하는 것으로 알려졌다.

---

19) 헬스케어를 주름잡는 AI 기술 성공사례 인공지능이 바꾸는 '헬스케어' 산업, TechIssue, 2019.03

②서비스의 혁신

 두 번째 '서비스'의 영역을 조금 더 깊이 살펴보면, 고객에게 직접 제공되는 서비스의 다양한 변화가 예상된다. 즉, 인공지능이 모니터링해서 예측한 건강정보가 알람으로 실시간 제공되어 고객의 행동 변화를 유도한다. 특히 병을 치료하고 있는 환자의 경우 인공지능이 지속해서 데이터를 모니터링하고 있다가 위험을 예측해 환자 및 의사에게 즉시 보고한다. 이로 인해 환자는 즉시 치료 방법과 행동을 개선하게 되고, 의사도 즉시 출동해 환자를 더 빨리 치료할 수 있게 된다.

 또한 인공지능의 분석 및 예측의 정확도 향상을 통해 과잉진료, 오진, 의료사고 등의 문제를 해결할 수 있고, 비용 등의 측면에서 낭비되는 요소를 줄여줄 수 있다. IBM '왓슨'과 같은 인공지능 기술은 병원치료 비용을 약 50% 정도나 감소시킬 수 있을 것으로 예상하고 있다. 따라서 인공지능은 환자 치료 및 관리 능력의 향상으로 헬스케어 시스템의 운영 효율성 향상을 가져올 것이며, 민간 및 공공의 데이터를 통합·분석해 다양한 헬스케어 서비스 상품 출시를 촉진할 전망이다.

마. 인공지능 헬스케어 유망분야[20]

국내 의료기관에서 인공지능 헬스케어 기술의 유망 활용 분야는 환자의 질병에 대한 진단·예측, 질병치료를 위한 의료영상 이미지 인식 및 진단 시스템, 인공지능 기반 임상실험시스템, 의료 녹취 솔루션, 개인 맞춤형 질병 예측·치료 기술, 질병 진단을 위한 인공지능 보조의사시스템, 노화방지 치료 서비스 등의 분야가 될 것으로 전망된다.

이를 통해 질병의 조기 진단 및 오진 방지, 의사의 의사결정 지원, 의료기록 작성 소요 시간 단축, 환자의 건강 수명 연장의 편익이 발생할 것으로 기대된다. 우리나라는 세계적으로 높은 의료영상진단기기 보급률, 전국민 건강정보 DB를 보유하고 있기 때문에, 의료기관에서의 인공지능 헬스케어 활용은 향후 관련 기술과 개발 시스템의 해외 수출로 연결될 것으로 기대된다. 하지만, 인공지능의 예기치 않은 오류로 인한 잘못된 진단과 처방, 임상연구의 윤리적 문제 봉착 및 개인정보 유출, 의료 양극화 문제발생 등의 우려도 존재한다.

구분	서비스	편익	기회	위협	핵심기술
의료기관	의료 영상 이미지 인식 및 진단	- 암 진단 조기 진단 - 의사의 진단 의사결정 지원	- PACS등 의료영상진단기기의 높은 보급률	- 인공지능의 예기치 않는 오류, 잘못된 처방	- 영상인식 기술
	인공지능 기반 임상실험	- 개인최적화 치료법 선택 - 신속한 의료, 데이터 검색, 분석 결과 지원	- 전국민 건강정보 DB→다양한 양질의 임상정보 획득 가능	- 임상연구의 윤리·안전 문제	- 머신러닝 - 딥러닝
	의료 녹취 솔루션	- 의료기록 작성 소요시간 단축	- 의료 녹취 시장 확대	- 개인정보 유출	- 머신러닝 - 딥러닝 - 음성인식 기술
	개인 맞춤형 질병 예측치료	- 환자의 건강 수명 연장	- 유전정보와 질환 간의 연관성 예측 가능	- 인공지능의 예기치 않는 오류 → 잘못된 처방	- 머신러닝 - 딥러닝 - 음성인식 기술 - 유전체 분석
	질병 진단 인공지능 보조 의사 시스템	- 정확한 진단 - 오진 방지	- 시스템의 해외 수출	- 인공지능의 예기치 않는 오류 → 잘못된 처방	- 머신러닝 - 영상인식 기술
	노화방치 치료	- 환자의 건강수명 연장	- 항노화 치료 시장 성장	- 의료 양극화	- 머신러닝 - 딥러닝 - 영상인식 기술

[표 10] 국내 의료기관 인공지능 헬스케어 유망 서비스 도출과 편익, 기회, 위협요인 분석

---

20) 인공지능 헬스케어 국내외 동향 및 활성화 방향, 김문구 외 2명, 한국과학기술연구원

Health IT 기업과 관련된 유망 분야로는 인공지능 수술로봇, 고령자 케어 로봇, 암 진단 시스템, 인공지능 기반 라이프 로그 데이터 활용 건강관리 및 컨설팅 서비스 등을 들 수 있다. 이를 통해, 의료진에 대한 수술 지원, 환자의 최소 절개 수술 및 빠른 회복, 삶의 질 개선 및 건강관리 등의 편익이 기대된다.

인공지능 헬스케어 기술은 인공지능 수술 로봇과 의료 교육 시뮬레이션 시장을 창출하고 고령자 케어로 인한 실버 시장 확대, 암 진단 시스템의 해외 수출 등의 다양한 기회를 제공할 것이나, 인공지능 로봇 도입에 따른 환자의 추가적인 비용부담, 인공지능을 활용한 의료 분야 자율의사결정시스템의 오류와 신뢰성 문제 발생, 개인정보 유출과 같은 문제가 발생할 것으로 우려된다.

구분	서비스	편익	기회	위협	핵심기술
Health IT 기업	인공지능 수술 로봇	- 최소절개 및 빠른 회복시간 - 의사의 수술 지원	- 의료 교육 시뮬레이션 시장	- 비용 부담	- 머신러닝 - 딥러닝 - 영상인식 기술
	고령자 케어 로봇	- 노인의 삶의 질 개선	- 실버 시장 확대	- 로봇의 자율적 의사 결정 → 의도치 않게 인간 생명 영향 우려	- 머신러닝 - 딥러닝 - 영상인식 기술
	암진단 시스템	- 조기 암 진단	- 해외 수출	- 인공지능 시스템 복잡도 증가로 오류 가능성 존재	- 영상인식 기술
	인공지능 기반 개인 라이프로그 분석활용 건강관리 및 컨설팅 서비스	- 건강관리 성과 향상	- 높은 ICT 인프라 - 우수한 IT 기업	- 개인정보 유출	- 머신러닝 - 딥러닝

[표 11] 국내 Health IT 기업 인공지능 헬스케어 유망 서비스와, 편익, 기회, 위협요인 분석

보험사에서는 가입자의 의료, 건강, 유전자 정보를 활용하여 인공지능 기술을 적용한 분야가 유명할 것으로 기대된다. 특히, 개인 맞춤형 보험 상품 개발, 최적의 보험료 산정 및 보험사기 예방 시스템이 유망 분야로 부각될 가능성이 높다.

이를 통해, 보험사는 가입자 특성에 부합되는 최적화된 보험 시스템 개발, 보험관련 업무 시간 단축에 따른 비용절감, 보험사기 방지 등의 편익이 기대된다. 또한, 다양한 보험상품 개발, 보험산업 재정 건전성 확보 등이 예상되나, 개인 정보 유출이 우려되고 보험 설계사의 인력 감축 등 일자리 감소 문제가 우려요인이 될 것으로 전망된다.

구분	서비스	편익	기회	위협	핵심기술
보험사	개인맞춤형 보험상품	- 최적화된 보험 가입 - 불필요한 보험 차단	- 다양한 보험상품 개발	- 개인정보 유출	- 머신러닝 - 딥러닝
	인공지능 기반 보험료 산정	- 시간단축 가능 - 비용절감	- 보험료 산정 시스템 시장 성장	- 개인정보 유출 - 보험설계사 인력 감축	- 머신러닝 - 딥러닝
	인공지능 기반 보험사기 예방 시스템	- 보험사기 방지 - 부당 수급 보험금 방지	- 보험산업 건전성 확보	- 개인정보 유출	- 머신러닝 - 딥러닝

[표 12] 국내 보험사 인공지능 헬스케어 유망 서비스 도출과 편익, 기회, 위협요인 분석

제약사의 유망 분야로는 환자 특이적 특성에 기반한 개인 맞춤형 약품 개발, 인공지능과 정밀의료를 결합한 차세대 신약 개발 등이 예상된다. 이를 통해, 환자의 치료효과 향상 및 부작용 감소, 신약개발 기간 단축이 기대되나 인공지능 기술의 오류로 인한 신약의 치명적 결함 등이 우려된다.

구분	서비스	편익	기회	위협	핵심기술
제약사	개인맞춤형 약품개발	- 치료효과 제고 - 부작용 감소	- 새로운 시장창출	- 개인맞춤형 제품의 개발실패 가능성 존재	- 유전체 분석 - 머신러닝 - 딥러닝
	인공지능 기반 신약개발	- 신약개발 성공 가능성 높임 - 신약개발 기간 단축	- 신약개발을 통한 새로운 시장 창출	- 인공지능 기술의 오류로 인한 신약의 위험성	- 유전체 분석 - 머신러닝 - 딥러닝

[표 13] 국내 제약사 인공지능 헬스케어 유망 서비스 도출과 편익, 기회, 위협요인 분석

마지막으로 국가 보건기관 측면에서는 전염병 확산 경로 파악과 예측, 국민 라이프 스타일에 맞춘 건강관리시스템, 건강보험 누수 확인 시스템이 유망 분야로 예상되며, 이를 통해 전염병 방지와 국민건강수준의 향상, 재정의 건전성 향상이 기대되나 개인정보 유출 등이 여전히 우려된다.

구분	서비스	편익	기회	위협	핵심기술
국가 보건 기구	전염병 확산 경로 파악 ·예측	- 국민 건강 안전 확보 - 전염병 예방	- 시스템의 해외 수출	- 관리기구의 전문성 및 인력문제 발생 가능성	- 머신러닝 - 딥러닝
	맞춤형 건강관리 시스템	- 국민 건강수준의 향상	- 전국민 건강정보 DB 보유	- 개인정보 유출	- 슈퍼컴퓨터 - 머신러닝

[표 14] 국내 국가보건기구 인공지능 헬스케어 유망 서비스 도출과 편익, 기회, 위협요인 분석

바. 인공지능
  1) 인공지능의 정의
    가) 머신러닝과 인공지능[21]

우리는 인공지능을 이야기하기 전, 머신러닝과 인공지능의 관계에 대해 알아볼 필요가 있다. 머신러닝은 인공지능을 구현하는 구체적인 알고리즘으로, 대용량의 데이터에 대해 알고리즘을 적용하고 컴퓨터를 통해 학습시켜 분석 작업을 수행할 수 있도록 기술을 개발하는 분야이다.

이러한 알고리즘을 이용해 데이터를 파악하고, 모델을 적용해 학습하며, 학습한 내용을 기반으로 현상에 대한 판단이나 예측이 가능하고, 아무리 용량이 큰 데이터라도 학습 모델을 빠르게 적용함으로써, 복잡한 분석에서도 정확한 예측 결과를 도출할 수 있다.

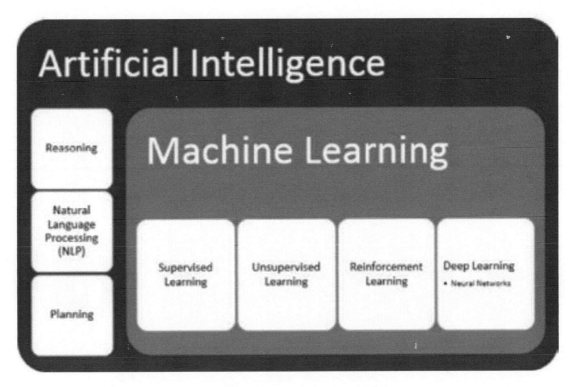

[그림 29] 인공지능과 머신러닝

머신러닝은 의료기관, 연구소, 제약회사 등 헬스케어 주요 분야에서 환자건강 개선을 위한 기술로서 채택되고 있으며, 이를 구현하기 위한 주요 학습방법은 지도학습, 비지도학습, 준지도학습, 강화학습 등이 있다.

---

21) 헬스케어 분야 머신러닝 기술 활용 및 동향, khidi, 2019.11.18

구분	특징
지도학습 (Supervised Learning)	• 지도학습은 컴퓨터에게 문제(Feature)와 정답(Lable)이 있는 데이터 (Training Set)를 학습시켜 사용하는 것으로 타겟변수(Lable)가 존재 하는 경우에 사용함 • 분류(Classification)가 전형적인 지도 학습 작업임
비지도학습 (Unsupervised Learning)	• 비지도학습은 지도학습에서 필요했던 레이블이 필요하지 않음 • 사람의 개입 즉 데이터 분류없이 시스템 스스로 학습함 • 데이터에 내재되어 있는 고유의 특징을 탐색 가능하며 클러스터링 이 주로 사용됨
준지도학습 (Semisupervised Learning)	• 레이블의 일부만 포함한 데이터를 사용하여 학습 (지도학습과 비지 도 학습 중간 형태) • 준지도학습에서는 레이블이 일부만 있어도 데이터를 다룰 수 있음
강화학습 (Reinforcement Learning)	• 알고리즘이 시행착오를 거쳐 어떤 행동이 최대의 보상을 산출하는 지 분석 • 딥마인드 알파고가 대표적인 예임
딥러닝 (Deep Learning)	딥러닝은 심층 인공 신경망(Deep artificial neural networks) 분석 을 의미하며, 이미지 인식, 음성 인식, 추천 시스템, 자연어 처리와 같 은 여러 가지 중요한 문제들에 대한 정확도를 향상시킨 알고리즘임. 은닉층(hidden layer)이 2개 이상인 경우 사용
배치 학습 (Batch Learning)	• 배치 학습에서는 시스템이 지속적으로 학습할 능력이 없으며, 가능 한 모든 데이터를 이용하여 한번에 학습해야함 • 처음 시스템을 학습시키고 난 후 더 이상 학습을 하지 않기 때문에 Offline Learning 이고도 불림 • 새로운 데이터를 학습시켜야 할 경우 기존 데이터까지 포함된 데이 터를 이용하여 처음부터 학습해야하는 번거로움이 있음 • 많은 컴퓨팅 리소스(CPU, GPU, 디스크 공간, 메모리 공간 등)와 비 용이 필요함
온라인 학습 (Online Learning)	• 온라인 학습에서는 데이터들을 미니 배치(mini-batch)라 부르는 작 은 묶음 단위로 학습 시스템에 순차적으로 넣어서 학습 • 연속적으로 투입되는 데이터를 받는 시스템에 적합하며, 자율적으로 변화에 대한 수용이 빠름 • 단일 컴퓨터 메인 메모리에 들어가지 않는 거대한 데이터 세트 학 습에 사용할 수 있음
사례 기반 학습 (Instance-based Learning)	• 가장 간단한 형태의 학습으로 시스템이 단순히 여러 사례를 메모리 에 저장함으로써 학습하며 메모리 기반 학습이라고도 불림 • 저장된 사례 학습을 통해 새롭게 투입된 데이터에서 가장 비슷한 사례들을 찾기위해 사용됨
모델 기반 학습 (Model-based Learning)	• 현재 머신러닝 트렌드의 대부분을 차지하며, 여러 샘플 데이터들의 모델을 만들어 사용하는 방식 • 학습을 통해 유용하다고 판단되면 반복 사용으로 강화시킬 수 있고, 부적절하다고 판단되면 다른 모델을 투입하거나 수정할 수 있음

[표 15] 머신러닝 학습방법

또한 머신러닝은 빅데이터, 클라우드, 사물인터넷과 같은 다양한 기술들과 복합적으로 상호작용하며, 통계학, 데이터 마이닝, 데이터 사이언스 등 다양한 영역과 관련되어있다.

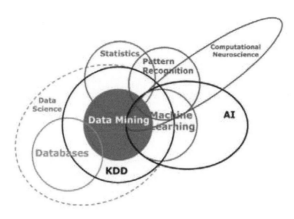

[그림 30] 머신러닝과 관련 기술간 관계

특히, 머신러닝은 빅데이터와의 결합을 통해 데이터의 감지·이해·실행·학습 등 다양한 기능을 수행하며 의료영상 처리, 위험 분석, 진단, 신약 개발 등 헬스케어 산업 전 분야에 적용되어 큰 기여를 하고 있다. 이에 대해 조금 더 자세히 살펴보면, 머신러닝과 빅데이터를 통해 의료·보건기관에서는 환자의 질병을 진단·예측·치료하며 전염병의 확산 경로를 파악하고 예측하며, 보험사에서는 개인 맞춤형 보험 상품을 개발하고 보험사기 가능성을 탐지한다. 제약사에서는 신약개발 과정의 효율성과 정확성을 제고하며, 의료IT에서는 각종 진단 시스템을 개발하고 개인 건강관리 서비스를 지원한다.

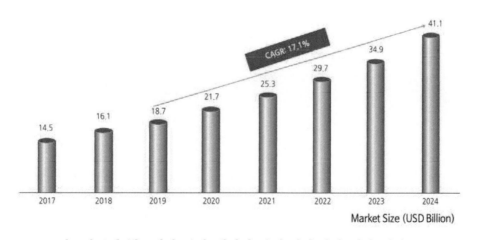

[그림 31] 헬스케어 분야 데이터 분석·저장·관리 시장 성장률

최근 헬스케어 분야의 데이터 생산과 관련 시장규모는 지속적으로 확대되고 있으며, 세계 주요국의 인공지능&머신러닝 관련 정책적 지원 및 기술 개발은 계속 이어질 것으로 보인다.

나) 인공지능의 목표

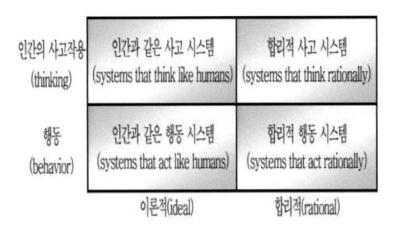

[그림 32] 인공지능시스템

인공지능은 여러 학자들에 의해 개념이 정의되고 있으며, 인공지능의 목표는 위의 그림과 같이 thinking, behavior, ideal, rational의 조합으로 인간과 같은 사고 시스템, 인간과 같은 행동 시스템, 합리적 사고 시스템, 합리적 행동 시스템으로 분류된다.[22]

① 인간과 같은 사고 시스템

이론적으로 인간과 같은 사고를 하는 기계를 만들기 위해 인간의 사고 작용을 연구한 후, 이로부터 성립된 가설을 시스템을 통해 실현하는 것이다. 이러한 연구를 진행하는 분야를 우리는 인지과학(Cognitive science)라 한다. 인지과학은 인공지능에 기초한 컴퓨터 모델을 만들어 실제 실험을 통해 인간의 사고 작용을 모방하려고 시도하는 분야이지만 인간의 사고 작용은 오묘하고 복잡해서 이를 컴퓨터로 모델링하기가 쉽지 않다. 따라서 인지과학이 성공을 거두기 위해서는 여러 번의 사고 실험을 통한 조사와 연구가 필요하다.

② 인간과 같은 행동 시스템

그리스의 철학자 아리스토텔레스는 '소크라테스는 사람이다. 사람은 죽는다. 그러므로 소크라테스도 죽는다.' 라는 합리적 사고의 논리적인 과정을 제안하였다. 이와같은 소크라테스적인 논리적 흐름에 기초하여 인간의 사고 과정을 컴퓨터로 프로그래밍화하고자 하는 것이 인간과 같은 행동 시스템의 목표이다. 이를 위해서 인간의 비 형식적인 언어를 논리 시스템에 적용하기 위해 형식적인 언어로 변환하는 과정과 이미 저장된 지식들을 기반으로 새로운 입력에 대한 적당한 결론을 추론하는 과정이 필요하다.

---

22) 조영임, 홍릉과학 출판사, 2012

③ 합리적 사고 시스템

 과거 튜링(Turing)은 지능적인 행동을 '모든 인지적인 작업들에서 인간과 같은 수준의 성능을 이루어 내는 능력'이라고 표현했다. 튜링은 1950년 '튜링 테스트'를 제안했는데, 이는 기계와 인간이 얼마나 비슷하게 대화할 수 있는지를 기준으로 기계의 지능을 판별하는 테스트이다. 즉, 합리적인 사고를 하는 시스템은 튜링 테스트를 통해 인간과 구분이 되지 않는 시스템이라 할 수 있고, 인공지능의 궁극적인 목표로 볼 수 있다.

④ 합리적 행동 시스템

 인간의 사고와 행동은 외부 환경에 의존적이고 상황에 따라 다른 결과를 보이기 때문에 명백하게 정의하기가 힘들다. 반면, 합리적 행동 시스템은 주어진 확률 정도에 따라 행동하기 때문에 좀 더 정의하기 쉽고 명백하다고 볼 수 있다.

다) 인공지능의 분류

인공지능을 발전 단계와, 산업 단계별로 구분해보면 다음과 같이 구분할 수 있다.

① 발전 단계

맥킨지(Mckinsey)에 따르면 인공지능 발전 단계는 약한 인공지능, 강한 인공지능, 슈퍼 인공지능 3단계로 나누어서 볼 수 있으며, 현재 인공지능 기술의 수준은 약한 인공지능 단계에 해당한다.

구분	내용
약한 인공지능	인간과 같은 지능이나 지성을 갖추고 있지는 않으나 특정 목적에 최적화된 알고리즘과 적당한 규칙 등을 설정해 운영되는 시스템적인 인공지능 단계로, 로봇 청소기, 번역 시스템, 알파고와 같이 특정 임무를 수행
강한 인공지능	어떤 문제를 실제로 사고하고 해결할 수 있는 인공지능 단계로 컴퓨터 프로그램이 인간과 같이 생각하고 행동하는 인간형 인공지능을 지칭
슈퍼 인공지능	자아 의식이 있는 단계로, 독립자주적인 가치관, 세계관 등을 소유하고 있으며 해당 단계는 기술 발전 이외에도 생명과학에 대한 전반적이고 깊은 이해가 필요할 것으로 보이는 단계로 현재는 문화작품에만 존재

[표 16] 인공지능의 발전단계를 통한 분류

② 산업 단계

인공지능산업은 인공지능의 '기본 시스템'을 바탕으로 컴퓨터가 시스템을 활용해 '핵심 기술'을 갖추고, 다양한 산업에 제품으로 '응용'되는 3단계로 나누어 볼 수 있다.

구분	내용
1단계 기본시스템	데이터, 반도체 칩, 감응신호장치, 사물인식 기술, 클라우드 컴퓨팅*
2단계 핵심기술	음성인식, 컴퓨터 비전**, 자연언어처리***, 머신 러닝 등이 있음. 핵심기술을 활용해 듣고, 보고, 이해해 분석과 판단을 통해 스스로 행동할 수 있도록 함.
3단계 응용	인공지능의 하나 또는 다양한 핵심기술들이 의료, 금융, 보안 등 다양한 분야에 응용

[표 17] 인공지능의 산업단계를 통한 분류

2) 인공지능의 주요 기술 요소와 동향[23]

인공지능 구현방식	기술 요소
1. 합리적으로 생각하기 2. 인간처럼 생각하기 3. 인간처럼 행동하기 4. 합리적으로 행동하기	① 학습지능: 기계가 새로운 환경에 적응하고 패턴들을 감지하고 추정한다.
	② 추론/표현 지능: 기계가 아는 것, 들은 것을 저장한다. 질문에 답하거나 새로운 결론을 유도하기 위해서는 저장된 정보를 사용한다.
	③ 음성인식/이해지능: 기계가 대화하는 것을 가능하게 한다.
	④ 시각지능: 기계가 물체를 지각한다.

[표 18] 인공지능 주요 기술 요소

가) 학습지능

기계학습 분야에서는 오랫동안 데이터로부터 특정 업무를 수행하기 위한 정보를 학습시키려는 연구들이 진행되어왔고, 그 결과 다양한 학습 모델과 알고리즘이 개발되었다. 하지만, 2000년대 후반부터 딥러닝 기술이 발전하면서 다양한 테스트에서 다른 방법들을 압도하는 높은 성능을 보였고, 점차 응용 영역을 넓혀가고 있다.

딥러닝은 인간 뇌의 정보처리 과정을 수학적인 모델링을 통해 모사한 모형으로, 주로 깊은 신경망을 이용하여 구현하는데, 복잡하고 변화가 많은 응용분야에서 탁월한 성능을 보인다.

딥러닝은 2016년을 기점으로 경쟁의 형태가 변화했는데, 2016년 초까지는 딥러닝의 깊이와 성능에 대한 경쟁이 진행되었으나, 알파고의 출현 이후 학습의 경쟁으로 전환되었다.

알파고의 등장은 강화학습의 등장으로도 볼 수 있는데, 강화학습의 학습 방식은 기존의 방식과 매우 다르다. 기존의 지도 또는 비지도 학습의 경우 전문가에 의해 학습할 데이터가 정해지는 것이었다면, 강화학습은 인공지능 자체가 현재의 환경에서 보상을 극대화하기 위해서 필요한 데이터를 수집해가면서 학습을 진행하는 동적인 것이라고 할 수 있다.

---

23) 인공지능 기술 동향, 박승규, 2018

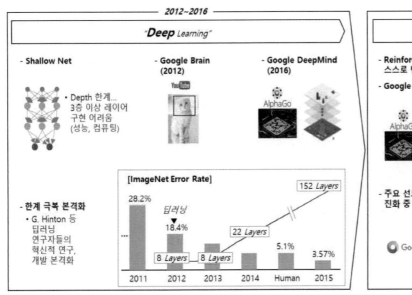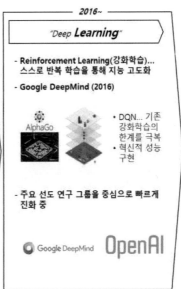

[그림 33] 딥러닝의 경쟁 핵심 변화

강화학습 기반의 인공지능은 빠르게 발전해 왔지만 강화학습이 한계가 없는 것은 아니다. 앞서 강화학습은 "보상을 극대화"한다고 표현했으나, 실은 이렇게 작동하도록 하는 보상 함수를 설계하는 것은 매우 어렵다. 따라서 강화학습의 주요 연구들은 Multi Agent, Meta Learning, Continuous action, Imitation learning 등 한계를 극복하기 위한 다양한 방면으로 추진되고 있다.

인공지능의 기술 중 하나인 학습기능의 산업화 사례로는, 대규모 데이터센터를 운영하면서 성능과 에너지 최적화를 위해서 기계학습을 활용한 구글의 사례를 들 수 있다. 데이터센터의 서버와 장비들의 사용 시간 및 에너지 사용량을 측정한 후 이 데이터들의 기계학습을 통해 장비들과 냉각 시스템을 운영하였다. 그 결과 높은 정확도(99.6%의 PUE(Power Usage Effectiveness) 예측), 에너지 절감 등 데이터센터 운영 효율을 크게 개선하였다.

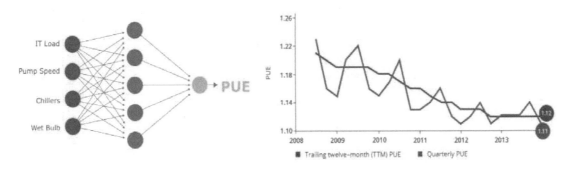

[그림 34] 구글 기계학습 기반 데이터센터 운영사례

나) 추론/표현지능

추론/표현지능은 어떤 사실이나 정보를 기계와 인간이 모두 이해할 수 있는 형태로 나타내고, 기지의 정보들을 바탕으로 새로운 정보를 유도해 내는 것과 관련된 기술을 다룬다. 지식표현분야에서는 규칙, 프레임, 의미망 등의 기존 개념들을 모두 통합한 온톨로지(Ontology)라는 체계가 대표적으로 활용되고 있다.

추론은 인공지능과 일반 소프트웨어를 구분하는 핵심이라 할 수 있으며 딥러닝의 등장과 함께 최근 가장 빠르게 발전하고 있는 분야라고 할 수 있다. 2016년 발표된 "Ask me Anything"이라는 논문을 보면 인공지능은 주어진 정보들을 바탕으로 질문과 관련된 새로운 정보를 조합하여 답을 제시한다. 이는 사람들에게는 간단한 문제지만, 기존의 인공지능 기법으로 기계에 추론 문제 해결능력을 갖게 하는 것은 매우 어려운 일이다.

> I: Jane went to the hallway.
> I: Mary walked to the bathroom.
> I: Sandra went to the garden.
> I: Daniel went back to the garden.
> I: Sandra took the milk there.
> Q: Where is the milk?
> A: garden

[그림 35] 추론문제

기존의 인공지능 추론 엔진들은 대부분 인간의 개입을 상당 수준 필요로 하며, 성능 면에서도 한계가 있다. 구글의 지식 그래프, 애플 Siri의 기반은 울프람 알파 등이 그 예이다. 그러나 최근 딥러닝 기반의 추론 엔진들은 문제 해결에 필요한 정보를 자체적으로 조합하여 추론에 활용하므로 인간의 개입 필요성이 최소화 되었다.

2017년 발표된 "A simple neural network module for relational reasoning"이라는 논문에서는 문자 정보뿐만 아니라 다양한 주변 사물들을 인식하고 서로 간의 상대적인 관계까지를 추론하고 있으며, 더 나아가 다음에 올 상황을 예측하는 인공지능이 제안되어 있다. 이는 인공지능이 매 순간의 행동이 미래에 미칠 영향을 예측하여 최적의 행동을 선택하고, 현재 시점에서 다소 손해가 되더라도 장기적으로 최종 목적 달성을 위해 필요하다고 판단되면 행동하는 것이다. 결국, 제안된 알고리즘은 인간처럼 미래를 예측하며 장기적 관점에서 계획하고 행동하는 인공지능을 의미하며, 인간의 행동 패턴을 닮은 인공지능 구현의 시작이라고 할 수 있다.

향후 생물학적 기능 모방 기술, Brain Imaging 기술 등의 최근 예에서 보는 바와 같이 인간의 뇌와 같은 컴퓨팅 시스템을 개발하는 연구가 가속화될 것으로 보인다. 특히나 이 분야는 '인지 컴퓨팅'이라 하여 심리학, 생물학, 물리학, 수학, 통계, 정보 이론 등 인문학으로부터 공학에 걸친 다양한 학제가 아우러진 연구가 진행되고 있으며, 멀지않은 장래에 사람처럼 생각하고 행동하는 인공지능을 구현할 수 있을 것으로 기대된다.

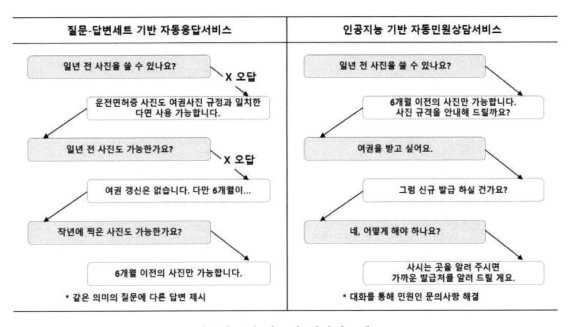

[그림 36] 지능형 상담시스템

추론/표현지능의 대표적인 산업화 사례는 '챗봇(ChatBot)'을 들 수 있다. 챗봇은 사람과의 문자 대화를 통해 질문에 알맞은 답이나 각종 연관 정보를 제공하는 인공지능 기반의 커뮤티케이션 소프트웨어를 지칭한다.

챗봇은 다양한 민원상담 질문에도 관련 정보를 제공할 수 있도록 자연어처리, 질의 의도 분석, 답변생성 부분에 최신 인공지능 대화로봇 기술을 적용한 지능형 상담시스템으로, 기존에 운영중인 자동 민원 상담 서비스의 경우 대부분 사전에 정해진 문답세트 기반으로 서비스를 구축하여 한정된 질문 외에는 답변할 수 없는 문제가 있었으나 인공진으 챗본 도입을 통해 문제를 해결함과 동시에 주민 밀착형 서비스가 가능할 것으로 기대된다.

다) 음성인식/이해지능

음성인식 분야의 연구는 매우 오래전부터 진행되어 왔지만 현재까지도 완전히 자유로운 대화가 가능한 수준까지는 구현되지 못하고 있다. 언어 인식 분야의 인공지능 발전이 빠르지 못했던 것은 기존의 기법인 온톨로지 언어 모델은 사람 중심의 방법론이고 언어의 확장성 또한 낮다는 큰 단점을 가지고 있었기 때문이다. 하지만 최근 딥러닝이 적용되면서 과거와 달리 사람에 의존하지 않고 인공지능이 데이터에 기반한 학습을 통해 스스로 언어를 이해하는 방식으로 전환하여 좋은 성능을 보이고 있다.

인간이 일상적으로 사용하는 언어를 기계적으로 분석하여 컴퓨터가 이해할 수 있는 형태로 만들거나 혹은 그러한 형태를 다시 인간이 이해할 수 있는 언어로 표현하는 기술을 자연어처리 기술이라 한다. 1950년대 음성인식 기술 연구와 동시에 자연어처리 기술의 연구가 시작되어 현재는 사용화 단계에 거의 도달한 것으로 평가되고 있다.

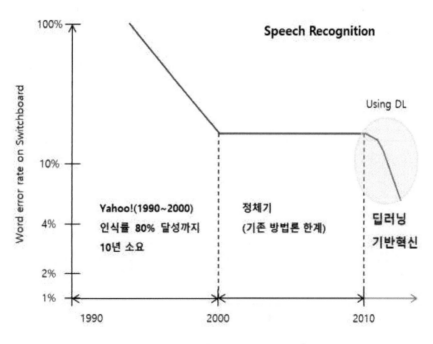

[그림 37] 언어인식 지능의 발전 과정

구글(구글 어시스턴스), 애플(Siri)등 글로벌 기업들이 개발한 프로그램들은 이미 자연어 처리를 능숙하게 구사하는 단계에 있다. 우리나라도 한국전자통신연구원이 개발한 엑소브레인이 2016년 EBS장학퀴즈에서 인간 퀴즈왕 4명과 대결을 펼쳐 우승하면서 자연어처리 분야에서 세계적 수준의 독자적인 인공지능 기술을 확보할 수 있는 가능성을 보여주기도 했다.

기계번역은 자연어처리 분야에서 또 하나의 중요한 기술 분야이다. 인공신경망 기반의 기계번역을 NMT(Neural Machine Translation)라 부르는데 기존의 통계 기반의 기계 번역 SMT(Statistical Machine Translation)와는 전혀 다른 방식으로 번역을 수행한다.

SMT는 마치 퍼즐조각을 맞추는 작업에 비유된다. 단어나 구 단위로 번역이 수행되기 때문에 번역과정이 이산적이고 국소적 결정에 기반을 둔 선택을 한다. 반면, NMT는 그림을 그리는 과정에 비유된다. 문장 전체 정보를 문장 벡터로 변환하고 번역하기 때문에 연속적이고 전체적 결정에 기반한 선택을 할 수 있다.

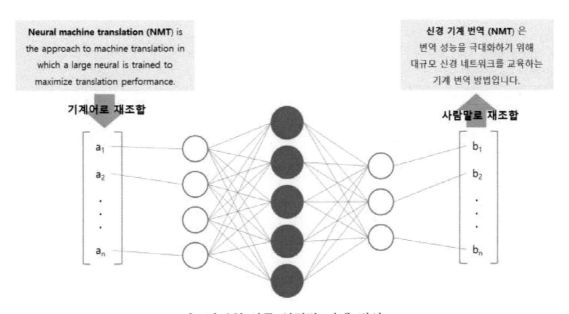

[그림 38] 인공 신경망 기계 번역

인공신경망 방식의 기계 번역 기술은 2016년 후반기에 구글, 바이두, 네이버 등 몇 개의 기업에서 소수의 언어 쌍에 대해서만 서비스를 시작했고, 2017년에는 번역언어 쌍이 점점 늘어났다. 전 세계의 연구원들이 NMT의 품질 개선을 위해 어텐션 모델, 새로운 번역 프레임워크, 인공신경만 기본 구조 등 다양한 연구 분야에서 노력하고 있으며 빠른 속도로 기술이 발전하고 있다. NMT는 번역결과가 틀렸을 때 원인을 파악하기 어려운 문제가 있다. 그래서 번역과정을 이해하는데 도움을 주는 시각화 도구에 대한 연구의 중요성이 높아지고 있다.

주요 산업화 사례로는 자동 통역 기술을 들 수 있으며, 특히 최근에는 통역 기술을 헤드셋이나 이어폰과 결합하여 대화를 나누려는 사람들이 헤드셋을 착용한 후에 한 사람이 한국어로 말하면 상대방의 헤드셋에는 번역된 말이 들리도록 하는 제품까지 소개되고 있다.

라) 시각지능

시각지능이란 사물을 인지하고 시공간적으로 상황을 파악할 수 있는 능력을 의미하며, 직관적으로 사물을 인식하는 능력과 심층적 사고에 의한 인지 능력으로 나뉜다. 직관적으로 사물을 인식하는 능력은 학습(경험)에 의해 사물의 특징과 내용을 정확히 이해하는 것이며, 심층적 사고는 낯선 장면이나 감춰진 사물을 인식하기 위해 주변 상황으로 유추하는 능력을 의미한다.

최근, 인간의 눈에 해당하는 사물 인식 분야에서는 이미 인간 수준을 넘어서는 인공지능이 구현되고 있다. 사물 인식 정확도를 경쟁하며 매년 열리고 있는 ImageNet 경진대회에서 이미 2015년 마이크로소프트가 96.43%의 정확도를 달성하여 인간의 인식률(94.90%)를 추월하였고, 2017년에는 정확도가 97.85%에 달했다.

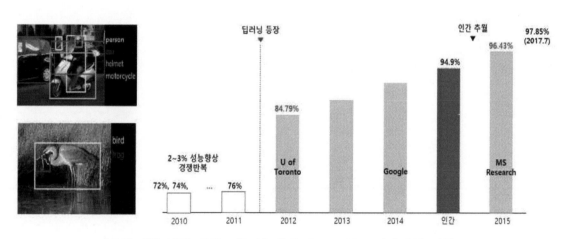

[그림 39] 시각 인식 지능의 발전, ImageNet 경진대회 결화

한편, 딥러닝이 등장한 이후 행동 인식 연구가 활발히 진행되고 있으며 특히, 영상 인식을 위해 제안된 알고리즘인 CNN(Convolutional Neural Network)은 행동 인식에서도 대표적으로 활용도되고 있다.

이외에 CNN의 약점(과거의 정보를 기반으로 현재의 상태를 판단하는 데 적합하지 않음)을 보완하기 위해 RNN(Recurrent Neural Network), LSTM(Long Short Term Memory)등의 새로운 알고리즘들이 제안되는 등 행동 인식 지능을 개선하고 있다.

[그림 40] 딥뷰 사업추진계획 및 목표 시스템

우리나라의 경우 인공지능 국가전략 프로젝트 '딥뷰'를 2014년에 시작하여 5년차를 맞이하고 있다. 딥뷰는 전체 3단계로 진행되고 있으며, 1단계에서 다중객체·행동을 동시에 분석하는 시각지능 SW를 개발하고, 2단계에서는 영상 내용을 인해하는 기술을 통해 도시 규모의 영상을 이해하는 시각지능 SW 개발을 목표로 하고 있다. 마지막 3단계에서는 복합 상황 이해 및 예측 기술을 갖춘 시각지능 SW를 개발하여 글로벌 시장에 진출하는 것을 목표로 한다.

03

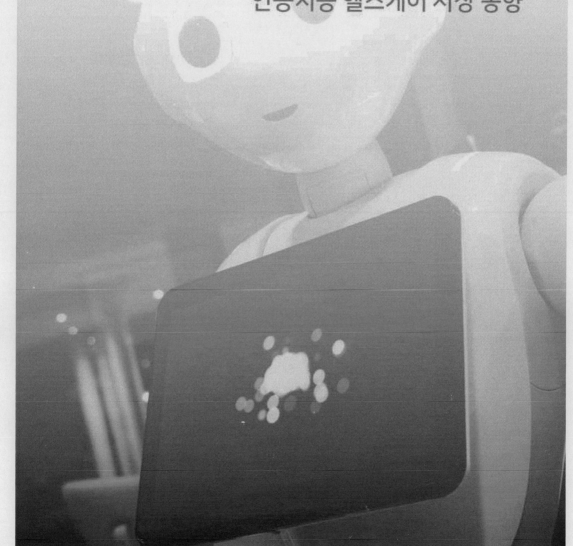

인공지능 헬스케어 시장 동향

3. 인공지능 헬스케어 시장 동향

최근 헬스케어 산업은 인공지능, 빅데이터, 사물인터넷 등 4차 산업의 핵심기술들과 융합하고 있다. 특히 고령화 시대에 접어들면서 양질의 헬스케어에 대한 관심이 증가하고 있어 지속적인 시장의 성장이 예측된다.

가. 세계 시장 동향

개요	시장 규모						CAGR(%)
	2018	2019	2020	2021	2022	2023	
세계시장	1887.9	2543.6	3556.4	5143.8	7607.5	11508.3	45.1%

[표 19] 인공지능 헬스케어 세계 시장 규모 전망 (단위: 백만달러)

24)

인공지능 헬스케어(AI in Healthcare) 세계 시장 규모는 2018년 약 2조 3천억 원 (19억 달러), 2019년 약 3조원(25억 달러)이며 연평균 성장률 45.1%로 예상되어 2023년에는 약 14조 원(115억 달러)을 기록할 것으로 예상된다.

시장 규모를 성장시키는 요인으로는 인공지능(AI) 기술에 대한 연구개발 증가 및 의료기기 산업에서 인공지능 활용의 확대로 인한 것으로 나타났다(실시간 모니터링, 자가 건강관리, 진단 지원 등). 현재 미국위주의 시장형성에서 점차 세계적인 시장으로 확대됨에 따라 인공지능 헬스 케어 시장은 더욱 커질 전망이다.

	소프트웨어	하드웨어	서비스
2018	1338	618.8	135.8
2025	22922.8	9464.1	3763.2
CAGR(%)	50.1%	47.6%	60.7%

세계 인공지능 빅데이터 기반 독립형소프트웨어의료기기 시장 현황(단위: 백만달러)

25)

Market and Markets에 따르면 인공지능 헬스케어(AI Healthcare) 시장에서 소프트웨어, 하드웨어, 서비스 분야 중 소프트웨어 분야를 가장 비중이 큰 산업으로 전망하고 있다. 세계인공지능 소프트웨어 시장은 2018년 약 1.6조 원(14억 달러)에서 연평균 50.1% 만큼 성장하여 2025년에는 약 27조 원(229억 달러)로 예상된다.

---

24) Global Artificial Intelligence Market in Healthcare Sector: Analysis&Forecasts
25) Artificial Intelligence Healthcare Market Global Forecasts to 2025

한편, 시장조사업체 GIA에 따르면 세계 디지털 헬스 산업은 2020년도 1,520억 달러 규모로 오는 2027년에는 5,080억 달러 규모로 20%에 가까운 큰 폭의 성장률이 예상된다. 모바일 헬스 산업은 2020년도 전체의 57%인 860억 달러로 절반 이상을 차지하며, 텔레헬스케어는 전체의 4%로 규모는 작지만 성장률은 30.9%로 가장 높게 전망된다.[26]

개요	시장 규모						CAGR(%)
	2018	2019	2020	2021	2022	2023	
세계시장	91.8	125.7	174.8	248.2	357.4	518.2	42.2%

[표 21] 의료영상데이터 활용 인공지능·빅데이터 기반 독립형소프트웨어의료기기
세계시장 현황 (단위: 백만달러)

[27]

의료영상데이터 활용 인공지능 기반 독립형소프트웨어의료기기의 시장 규모는 2018년 약 1,100억 원(92백만 달러), 2019년 약 1,560억 원(126백만 달러)이며 연평균 성장률 42.2%로 예상되어 2023년에는 약 6,200억 원(518백만 달러)을 기록할 것으로 예상된다.

개요	시장 규모						CAGR(%)
	2018	2019	2020	2021	2022	2023	
세계시장	380.5	517.4	734.8	1080.1	1620.2	2478.9	46.7%

[표 22] 생체데이터 활용 인공지능·빅데이터 기반 독립형소프트웨어의료기기
세계시장 현황 (단위: 백만달러)

[28]

생체데이터 활용 인공지능기반 독립형소프트웨어의료기기의 시장 규모는 2018년 4,560억원(380백만 달러), 2019년 6,204억 원(517백만 달러)이며 연평균 성장률 46.7%로 예상되어 2023년에는 2조 9,748억 원(2,479백만 달러)을 기록할 것으로 예상된다. 웨어러블 기기를 활용한 환자 의료데이터 축적, 의료비 감면의 필요성 증가, 정부의 지원 등으로 인해 의료데이터를 활용한 인공지능·빅데이터 기반 독립형소프트웨어의료기기의 시장은 증가하고 있다.

---

26) "국내 '디지털헬스', 9점 만점에 5점…법·제도 개선해야", 2021.4.8. Yakup.com
27) Global Artificial Intelligence Market in Healthcare Sector: Analysis&Forecasts
28) Global Artificial Intelligence Market in Healthcare Sector: Analysis&Forecasts

나. 국내 시장 동향

개요	시장 규모						CAGR(%)
	2018	2019	2020	2021	2022	2023	
국내시장	410.4	554.4	772.8	1113.6	1642.8	2464.8	44.6%

[표 23] 인공지능 헬스케어 국내 시장 규모 전망 (단위: 억 원)

29)

한편 국내 인공지능·빅데이터 기반 독립형소프트웨어의료기기 등 인공지능 헬스케어 시장 규모는 2018년 약 410억 원, 2019년 약 554억 원이며 세계시장과 비슷한 연평균 성장률 44.60%로 예상되어 2023년에는 약 2,465억 원을 기록할 것으로 예상된다. 국내에서도 인공지능을 활용한 의료기기의 개발에 관심이 큰 만큼 시장전망도 고성장이 예상되고 있다.30)

식품의약품안전처에서 발표한 자료에 따르면, 스마트헬스케어 의료기기 시장은 매년 10% 넘게 성장하여 2020년에는 14조 원 규모에 이를 것으로 전망되며, 헬스케어 관련 디바이스의 성장세가 IoT 디바이스 산업의 성장을 주도할 것으로 예측된다.

연도	2012년	2013년	2014년	2020년
시장규모	2.2	2.6	3.0	14.0

[표 24] 국내 디지털 헬스케어 시장규모 (단위: 조 원)

IoT 헬스케어기기 시장의 성장은 통신서비스산업의 성장과 연관이 깊으므로 서로 동반 성장할 것으로 전망되며, 센서기술과 웨어러블·모바일기기 등을 기반으로 한 IoT 기술이 헬스케어산업에 새로운 부가가치를 부여하는 데 크게 기여될 것으로 보인다.

---

29) Global Artificial Intelligence Market in Healthcare Sector: Analysis&Forecasts
30) 「2020 신개발 의료기기 전망 분석보고서」 2020.3월, 식품의약품안전처

다. 세부분야별 시장 동향[31]

1) 기술별 시장동향

헬스케어 관련 인공지능 기술은 머신러닝, 자연어처리, 상황인식 컴퓨팅, 컴퓨터 비전 등으로 세분화되어 있으며, 음성·영상·문자 등의 패턴 인식 등 다양한 기술과의 융합 활용 가능성 큰 머신러닝 기술의 성장이 가장 크게 가속화 되고 있다.

머신러닝은 2017년 기준 6억 6,670만 달러로 평가되었으며, 연평균 52.6%로 상승하여 2025년까지 175억 7,500만 달러에 이를 전망이다.

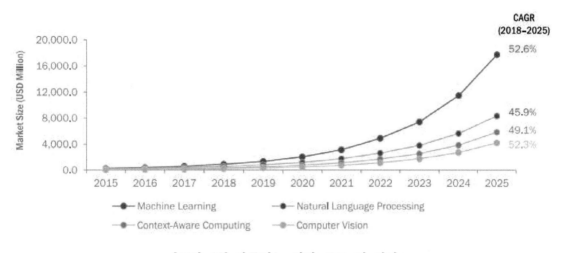

[그림 42] 인공지능 시장 규모 및 전망

2) 지역별 시장동향

북미 지역은 헬스케어 분야 인공지능 시장 중 37.5%를 차지하며 가장 큰 비중을 보이고 있으며, 관련 기술의 성장이 두드러지는 핵심요소로 전 치료과정에서 지속적으로 인공지능 기술을 채택하며 적용하는 것으로 조사된다. 북미 지역은 2017년 기준 5억 3,960만 달러로 평가되었으며, 연평균 51.7%로 상승하여 2025년까지 143억 5,000만 달러에 이를 것으로 전망이다.

NVIDIA, Intel, Xilinx, Microsoft, AWS, Google, IBM 같은 인공지능 분야 주요 하드웨어 및 소프트웨어 기업이 북미 지역에 위치해 있으며, Johnson and Johnson 과 GE가 해당 지역의 헬스케어 시장 성장에 가세하고 있다.

---

31) 헬스케어 분야 머신러닝 기술 활용 및 동향, Khi야, 2019.11.18

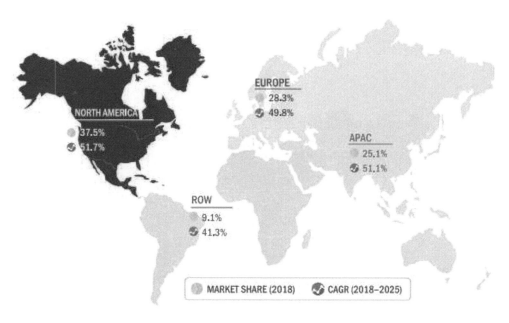

[그림 43] 지역별 시장 규모

3) 사용자별 시장동향

의료기관&의료서비스 제공자와 환자가 2025년까지 가장 많은 인공지능 기술 사용 비중을 유지할 것으로 보이며, 타 사용자에 비해 큰 폭으로 성장할 것으로 전망된다.

의료기관&의료서비스 제공자는 2017년 기준 9억 1,570만 달러로 평가되었으며, 연 평균 48.5%로 상승하여 2025년까지 207억 1,000만 달러에 이를 것으로 전망된다. 의료기관&의료서비스 제공자는 서비스 제공 체계 개선, 병원 운영 효율화, 환자 만족 도 향상, 의료비용 절감 등을 위해 인공지능&머신러닝 기반 시스템 및 솔루션을 다량 채택하고 있다.

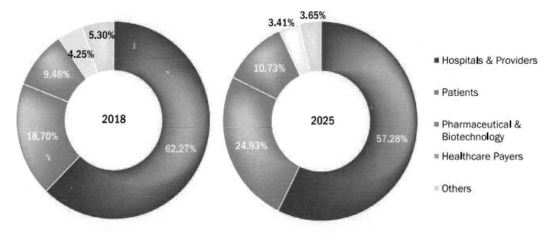

[그림 44] 사용자별 시장 분포

4) 적용사례별 시장동향

인공지능 기술의 주요 적용사례로는 환자 데이터&위험 분석, 환자 간호&의료기관 운영 관리, 의료영상&진단, 생활관리&모니터링, 가상 도우미, 약물발견, 정밀의료 등이 있다.

환자 데이터&위험 분석이 2018년 기준 가장 큰 시장으로(약 4억 9,000만 달러) 평가되었으며, 연평균 48.8%로 상승하여 2025년까지 79억 3,100만 달러에 이를 것으로 전망된다.

의료영상&진단 분야는 2018년 기준 약 2억 4,000만 달러로 평가되었으나, 적용사례 중 가장 높은 성장률(57.8%)을 보이며 2025년 58억 6,700만 달러에 이를 것으로 전망된다.

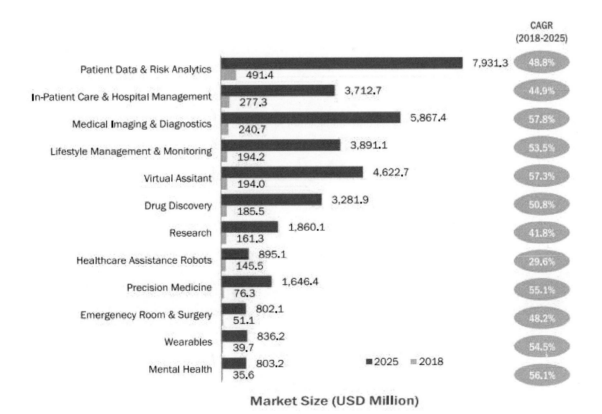

[그림 45] 적용사례별 시장 규모 및 전망

5) 학습방법별 시장동향

머신러닝은 컴퓨터가 학습된 알고리즘을 통해 스스로 데이터에 접근하여 분석하는 인공지능 기술 분야이며, 이를 구현하기 위한 주요 학습방법으로는 딥러닝, 지도학습, 강화학습, 비지도학습 등이 있다.

2017년 기준 학습방법별 시장규모의 경우 딥러닝이 3억 2,700만 달러로 가장 큰 시장으로 조사되었으며, 2025년까지 연평균 54.9%로 성장하여 104억 7,840만 달러에 이를 것으로 전망된다.

Type	2015	2016	2017	2018	2020	2023	2025	CAGR (2018-2025)
Deep Learning	152.4	223.2	327.9	488.7	1,131.8	4,257.3	10,478.4	54.9%
Supervised	74.8	107.2	154.1	224.8	499.0	1,764.1	4,169.8	51.7%
Reinforcement Learning	29.3	41.0	57.5	81.9	172.6	560.1	1,242.5	47.5%
Unsupervised	20.8	29.4	41.9	60.4	131.3	448.7	1,035.4	50.1%
Others	23.7	32.7	45.3	63.5	129.2	392.5	823.6	44.2%
Total	301.0	433.6	626.7	919.3	2,064.0	7,422.7	17,749.8	52.6%

[표 25] 학습방법별 시장규모 및 전망 (단위: 백 만달러)

04

국내외 인공지능 헬스케어 기술 동향

4. 국내외 인공지능 헬스케어 기술 동향

가. 임상의사지원시스템

병원의 기록이 전산화되면서 문서업무 비용을 줄이고 의료공급자들 간의 협력은 의료의 질을 떨어뜨리지 않으면서 의료비 지출을 줄일 수 있도록 도왔다. 하지만 EMR(Electronic Medical Record), OCS(Order Communication System), PACS(Picture Archiving Communication System), PHR(Personal Health Record) 등 넘쳐나는 의료 정보는 고비용과 저효율을 불러일으킬 수 있다.

인공지능기반의 임상의사지원시스템은 넘쳐나는 정보를 학습하고 분석하여 의사-간호사-환자를 유기적으로 연결하고, 이를통해 많고 좋은 것이 아닌 적절한 수준의 기술과 서비스를 제공하고 결과적으로 의료의 질을 높일 수 있다.
다시 말해 임상의사지원시스템은 임상 데이터, 문헌, 논문 등 의 정보를 분석하여 의사의 진료행위를 지원하는 정보시스템으로 의료진의 임상지침(Clinical Guidelines) 및 근거기반 의료행위(Evidence Based Practice:EBP)를 지원하기 위한 정보 시스템 이라고 할 수 있다.

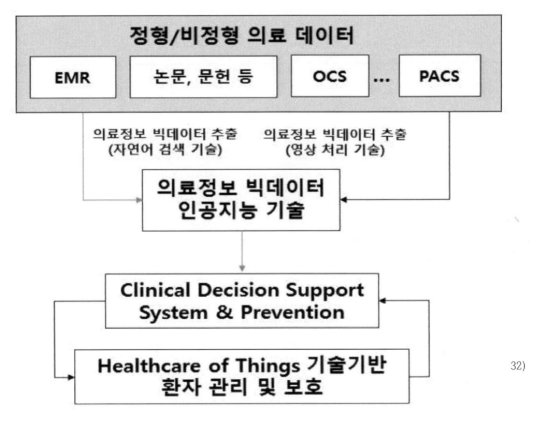

32)

[그림 27] 정형/비정형 데이터 기반 임상의사결정지원시스템 구조

① IBM 왓슨[33]

임상의사지원시스템의 가장 대표적인 사례라고 할 수 있는 IBM사의 '왓슨(Watson)' 에 대한 관심이 빠르게 식고 있다. 국내에서는 2016년 12월 길병원이 최초로 도입한 후 부산대병원, 건양대병원, 대구가톨릭대병원, 계명대동산병원, 조선대병원 등등이 차례로 왓슨을 들여왔다.

하지만, 거액을 투자해 왓슨을 도입했으나 국내 의료 실정과 맞지 않아 비용 효용성 이 떨어진다는 회의적인 목소리가 나오고 있다. 일각에서는 주로 암 진단에 활용되는 왓슨이 서양보다 동양에서 발생 빈도가 높은 암에서는 진단 정확도가 떨어져 왓슨의 실효성이 사실상 없다는 지적까지 제기되고 있다.

국제전기전자기술자협회 발행잡지(IEEE Spectrum)에 따르면 태국의 방콕 범룽랏병 원(Bumrungrad international hospital)에서 유방암, 직장암, 위암, 폐암 환자 211 명에 대해 왓슨을 적용한 결과 일치 비율은 83%였다. 또 인도 방갈로르의 마니팔 종 합암센터(Manipal Comprehensive Cancer Center)에서 유방암 환자 638명에 대해 왓슨을 적용한 결과 일치 비율은 73%로 나타났다. 특히 길병원에서 대장암 환자 656 명에 대해 왓슨을 적용한 결과 일치 비율이 49%에 그친 것으로 알려졌다.

일부 암에 대한 진단 정확도가 낮은 문제 외에도 거액을 들여 왓슨을 도입했지만 왓 슨이 의료기기로 인정되지 못해 환자들에게 서비스 차원의 '덤'으로 제공되고 있는 현 실도 병원들이 왓슨을 외면하는 이유로 꼽히고 있다. 이에 왓슨을 도입했던 병원들 가운데 재계약을 하지 않는 병원들이 속속 생겨나고 있다.

지난 2017년 1월 왓슨을 도입했던 부산대병원은 2019년 초 2년 계약이 종료된 후 더 이상 계약을 이어가지 않기로 했고, 비슷한 시기에 왓슨을 도입해 1년만 시범적으 로 사용키로 했던 계명대동산병원도 왓슨 재계약을 포기했다. 아직 계약기간이 남아 있어 사용은 하고 있지만 화순전남대병원도 시들하기는 마찬가지다.

화순전남대병원 관계자는 "왓슨을 도입했지만 생각 만큼 활용하고 있지는 않는다"면 서 "왓슨을 이용한 진단보다 그간 (병원에) 쌓인 환자들의 데이터를 기반으로 한 진단 이 더 훌륭하다는 생각이 든다"고 말했다. 그는 "왓슨 데이터가 국내 환자들에게 특 화돼 있지 않다"며 "왓슨은 초기 모델이다. (완성되기까지) 앞으로 시간이 더 필요하 지 않을까 생각한다"고 했다.

---

32) 출처: 을지대학교
33) [기획]의료계 뜨겁게 달궜던 '왓슨' 열풍 이대로 식나, 청년의사, 2019.05.17

의료계 관계자는 "왓슨을 활용해 진료를 한다고 하더라도 환자들에게 별도 비용을 받을 수 있는 것도 아니고 정확도도 높지 않다"며 "초반에는 병원들이 마케팅 목적으로 활용했지만 지금은 초기 투자 금액도 회수하지 못하면서 점차 외면하는 분위기"라고 말했다.

우리나라 만큼이나 왓슨이 등장하자 폭발적인 반응을 보였던 다른 나라들도 "왓슨을 사용하는데 지쳤다"는 반응을 보일 정도로 회의적이다. 왓슨이 임상 현실과 맞지 않다는 비판적 목소리마저 나오고 있다.

왓슨이 전적으로 통계에 기반한 결과를 도출하고, 주요 결과를 수집할 수는 있지만 복잡한 임상 현실을 이해할 수 없다는 것이 전문가들의 지적이다. 즉, 의사들의 의사 결정에 도움을 줄 수 있는 인공지능 의사일 뿐 '진짜 의사'는 될 수 없다는 의미다.

IBM의 전직 의학자였던 마틴 콘(Martin Kohn)은 IEEE Spectrum에서 "IBM의 기술이 엄청나게 강력하다는 게 입증됐지만 임상적 측면에서는 적절하지 않다"며 "그 기술이 나와 내 환자들의 삶을 더 좋게 만들 수 있는지 증명해 보라"고 지적한 바 있다.

반면 병원 내 의사결정 보조자로서 다학제적 진료에는 도움이 된다는 의견도 있다. 이에 건양대병원과 대구가톨릭대병원은 왓슨을 임상 현장에 활용할 방침이다. 왓슨을 질병 진단의 최종 결정자가 아닌 의사결정 보조자로 활용하겠다는 복안이다.

건양대병원 김종엽 헬스케어 데이터 사이언스 센터장은 "왓슨도 임상의사결정지원시스템(CDSS, Clinical Decision Support System)의 일환이다. 왓슨이 최종 결정을 하도록 하는 게 아니라 의사들이 왓슨의 이야기를 한 번 더 듣는 과정을 통해 한 번 더 고민할 수 있게 된다"고 설명했다. 김 센터장은 "왓슨이 추천만 해주는 것이 아니라 관련 논문을 수십 페이지 출력해 주는데 이는 다학제 진료가 더 건전한 방향으로 흘러 갈 수 있도록 도움을 준다"면서 "CDSS는 앞으로의 큰 흐름이고 새로운 기회다. CDSS의 일환인 왓슨은 새로운 시대의 시작일 뿐이다"라고 했다. 이에 건양대병원은 CDSS의 일환으로 최근 AI를 기반으로 한 약물처방 오류방지 모니터링 프로그램 개발에 착수했다.

김 센터장은 "외래환자를 볼 때 진료실 밖에서 수십 명씩 대기하고 있으면 약물 처방 시 오타가 발생하곤 하는데 AI를 활용해 이런 실수를 최대한 줄여주는 모니터링 프로그램을 개발하고 있다"며 "CDSS를 통해 의료의 리스크를 줄일 수 있게 된 것"이라고 했다.

대구가톨릭대병원 혈액종양내과 배성화 교수도 왓슨을 다학제적 진료 과정에서 의사 결정의 도구로 활용하고 있다고 했다. 배 교수는 "다학제 진료를 하는데 보조적인 수단으로 활용하고 있고 향후 여러 영역에서 의료와 AI의 결합은 지속될 것 같다"며 "질병에 대한 정확도나 비용 효율적인 측면 등 우려를 갖고 있음에도 병원이 2년 정도 더 활용해 보자고 결정한 것도 이 때문"이라고 설명했다.

배 교수는 "모든 AI가 모두 성공할 수 없을 거라고 본다. 왓슨은 실제로 AI인지 의문을 가질 정도로 초기 버전"이라면서 "극단적인 예로 왓슨이 시장에서 퇴출된다 하더라도 AI를 보조 장치로 의료에서 활용하는 일은 점점 확대될 것"이라고 전망했다.

② 삼성전자와 삼성메디슨의 S-Detector
삼성전자와 삼성메디슨은 기존의 S-Detector인 "영상의학과용 초음파 진단기기"에 딥러닝 기술을 접목하여 한 번의 클릭으로 유방 병변의 특성과 악성·양성 여부를 제시하고 약 1만 개에 이르는 유방 조직 진단 사례가 수집된 빅데이터를 바탕으로 사용자의 최종 진단을 지원한다.

34)

[그림 28] S-Detector

③ 뷰노의 뷰노-메드본에이지(VUNO-Med BoneAge)
뷰노의 "뷰노-메드본에이지"는 성장기 자녀의 성장문제를 진단하기 위한 골연령 측정 소프트웨어로, X-ray로 촬영된 수골(손뼈) 영상에 대한 보다 정확하고 빠른 측정을 가능하도록 도와주는 인공지능 기기로서 국내 최초로 2017년 9월 식약처 임상시험계획을 승인받았다.

---

34) 출처: 삼성헬스케어 홈페이지

또한, 뷰노는 혈압, 심박수, 호흡수, 체온 등 네 가지 활력 징후 자료를 활용해 환자의 심정지 및 사망 위험도를 예측하는 제품을 개발해 임상시험을 하고 있다. 뷰노는 미래에셋대우를 IPO 대표주관사로 선정하고 이르면 2020년 상반기 코스닥 상장예비심사를 신청하겠다는 계획이다.

④ 루닛의 실시간 폐질환 진단

루닛은 웹사이트인 "인사이트"를 통해 실시간 폐질환의 진단을 제공하고 있다. 흉부 X-ray 영상에서 폐암 결절, 결핵, 기흉 및 폐렴과 같은 주요 폐질환을 진단할 수 있으며, 정확도는 98%에 이른다. 또한 루닛은 유방암 조기진단을 위한 유방 촬영술용 솔루션을 연구하고 있다.

또한 루닛은 시리즈C에 해당하는 300억원 규모의 투자 유치를 마무리했다. NH투자증권을 주관사로 정해 IPO를 추진할 계획이다.

이외에도 루닛은 환자에게 가장 적합한 항암제를 알려주는 AI '루닛 스코프'로 업계의 주목을 받고 있다.

나. 신약개발

 인공지능 기술을 통해 많은 양의 데이터를 처리할 수 있고, 보다 정확하고 효율적인 의사결정이 가능해져서 신약개발 분야에도 비용과 시간의 절약이 기대되고 있다. 신약개발은 장기간의 투자에도 불구하고 활용 가능성이 현저히 낮고, 만약 신약개발에 성공하더라도 시장에서의 성공확률은 저조한 것이 현실이다.

 신약개발 후 임상시험에 걸리는 시간은 1994년까지만 하더라도 평균 4.6년이 소요되었지만, 2009년에는 7.1년으로 증가했다. 미국의 경우 지난 15년간 신약 개발을 위해 약 520조 원 이상을 투자했다. 이는 항공산업의 5배, 소프트웨어와 컴퓨터 산업의 2.5배에 이르는 수준이다.

 최근 신약개발에 인공지능을 사용하여 소요 시간을 감축시키기 위한 노력이 계속되고 있으나, 신약개발과정에 인공지능 사용의 적절성에 대한 논란은 지속되고 있다.

① 영국, 새로운 약물 후보 물질 설계, 합성 및 검증 단계를 1달 반으로 단축[35]
 영국 과학자들이 수 년이 걸리는 새로운 약물 후보 물질 설계, 합성 및 검증 과정을 인공지능(AI)을 통해 1달 반으로 단축했다. 영국 생명공학 연구재단(Biogerontology Research Foundation, BGRF) 공동 연구팀은 대다수 제약 회사에서 사용하는 표준 H2L(Hit To Lead) 방식을 사용해 46일 만에 성과를 거뒀다.

 공동 연구는 GAN(Generative Adversarial Networks)과 강화학습((Reinforcement Learning, RL) 조합을 사용했다. 이번 AI 검증 프로세스는 첫 번째 단계부터 상용화까지 질병 타겟을 목표로 했다. 약물 발견 및 개발의 타임라인을 단축, 잘못된 방향으로 흐르기 쉬운 무작위 프로세스에서 전체 프로세스를 지능적이고 집중적이며 직접적인 과정으로 전환했다.

 AI 신약 발견 가속화 잠재력을 제시한 이번 성과는 2년 전부터 약물 발견 및 바이오마커 개발에 AI 심층학습(Deep Learning) 기반 최첨단 기술을 도입한 결과다. 인실리코 팀은 2016년부터 특정 분자 특성에 기반해 새로운 약물 후보를 설계하기 위해 GAN 딥러닝 기술을 적용했다. 2018년 한달 반에 새로운 약물의 설계, 합성 및 검증에 성공했다.

 인실리코는 21일 만에 처음부터 끝까지 새로운 분자를 착안, 생성할 수 있었다. 딥마인드(DeepMind) 알파고와 유사한 AI 기술을 활용한 알고리즘 'GENTRL'은 특정 특성을 가진 새로운 분자 구조를 신속하게 생성 할 수 있다.

---

35) AI 신약개발, 2~3년 프로세스 46일로 단축, The Science Monitor, 2019.09.03

② 아톰와이즈

미국의 아톰와이즈는 '아톰넷(AtomNet)'이라 명명된 스크리닝시스템을 활용하여 서로 다른 후보물질들의 상호작용을 분석해 물질별 분자들의 행동과 결합 가능성을 학습하고 예측하여 단 하루에 100만 개의 화합물을 선별할 수 있다.

최근 아톰와이즈는 최대 100억개에 달하는 화합물을 이용한 약물스크리닝 프로그램 개발에 나섰다. 아톰와이즈에 따르면 세계 최대 화합물 공급업체인 에나마인(Enamine)과 협력을 맺고 인공지능 기반 가상 의약품 스크리닝 프로그램을 개발에 나선다. 10-투-더-10(10-to-the-10) 프로그램으로 불리는 이 계획은 소아암을 치료하기 위한 저분자 약물 후보물질 도출을 향상시키는 것을 목표로 하고 있다.[36]

③ 투자아

미국의 스타트업인 '투자아(towXAR)'는 단백질의 상호작용과 진료 기록, 유전자 발현 등 방대한 생의학 데이터와 인공지능 알고리즘을 활용하여 신약을 개발하고 있다.

최근 국내의 SK바이오팜이 투자아와 비소세포폐암 치료 혁신 신약 개발을 위한 공동연구를 체결했다. 이번 계약에 따라 앞으로 투자아는 새로운 생물학적 기전을 통해 폐암 치료 가능성이 높은 신약 후보물질 발굴하기 위해 AI 기술을 활용한다. 이후 SK바이오팜은 구축한 '인공지능 약물설계 플랫폼'을 통해 최적화 작업, 약효 및 안전성 검증을 진행한다는 계획이다.[37]

④ 스탠다임

국내 스타트업 기업인 '스탠다임'은 약물 상호작용을 포함한 약물 구조의 데이터베이스에 적용하는 알고리즘을 개발하고 있으며, 이를 통해 실험적으로 검증이 가능한지를 파악하고 있다.

종양학 분야에서는 크리스탈노믹스와 협력하여 실험 검증을 수행하고 있으며, 아주대 약대와는 파킨슨병, 한국과학기술원과는 자폐증에 대한 동물시험을 통해 약물효능을 검증하고 있다.

최근, 스탠다임은 한미약품과 손잡고 인공지능을 활용한 신약 후보물질 개발에 적극 나서기로 했다. 이번 업무협약에 따라 양사 협력으로 도출된 신약 후보물질은 한미약품 주도의 상업화 개발(임상/생산/허가)로 이어질 것으로 전망된다.[38]

---

36) 아톰와이즈, AI 이용한 세계최대 약물후보 스크리닝 프로그램 개발, 성재준, News1, 2019.08.14
37) SK바이오팜, 美 twoXAR와 인공지능 폐암신약 공동연구, 장종원, 바이오스펙테이터, 2019.04.18
38) 한미약품, 신약개발에 AI 도입..스탠다임과 협업, 장종원, 바이오스펙테이터, 2020.01.22

⑤ 파로스 IBT

국내 바이오 벤처기업인 "파로스 IBT"는 현존하는 약물 관련 데이터베이스와 상업적으로 구매가 가능한 1,200만 개의 화합물에 대한 정보, 200만 개의 표적 단백질의 약효 데이터, 2억 편의 논문 정보가 집약된 Pubmed 빅데이터를 학습하고 분석해주는 신약 개발용 인공지능 플랫폼 케미버스를 개발했다.

최근, 파로스IBT는 개발한 캐미버스를 이용해 한국과학기술연구원(KIST) 및 대구경북첨단의료산업진흥재단(DGMIF) 연구진들과 공동으로 급성골수성백혈병 표적치료제 후보물질인 'PHI-101'을 개발했다. 그리고, 호주 식품의약청(TGA)으로부터 차세대 급성골수성백혈병(AML) 환자를 대상으로 한 FLT3 표적항암제 'PHI-101'의 임상1상 승인을 받았다.[39]

---

39) 파로스IBT, AML 대상 '차세대 FLT3 저해제' "호주 1상 승인", 김성민, 바이오스펙테이터, 2019.12.05

[그림 29] 신약개발에 인공지능을 활용하는 69개 기업

40) 출처: BenchSci, 한국바이오경제연구센터 재구성

번호	카테고리	설명 및 기업예시
1	Aggregate and Synthesize Information	정보 결합 및 합성 Plex Research : 전세계 생물의학 연구데이터를 직관적으로 검색해 특정표적에 대한 화합물과 같은 신약개발 관련 쿼리와 연관된 결과 제공
2	Understand Mechanism of Disease	질병기전의 이해 Phenomic AI : 현미경 데이터에서 세포 및 조직의 표현형을 분석해 현미경 이미지에서 단일세포들을 신속하고 정확하게 프로파일
3	Repurpose Existing Drugs	기존 약물의 용도변경 Standigm : 신약화합물이 실제 사람들과 어떻게 상호작용하는지 해석해 기존 약물에 대한 새로운 적응증 예측
4	Generate Novel Drug Candidates	신약후보물질 생성 Berg : 건강한 상태와 질병에 걸린 상태 두 경우의 환자샘플 데이터 분석을 바탕으로 새로운 바이오마커 및 치료 표적을 생성해 대규모 맞춤의료 구현
5	Validate Drug Candidates	신약후보물질 검증 XtalPi : 약물의 결정화 구조를 예측해 신약후보물질의 잠재적 안전성, 안정성 및 효능성 정보 제공
6	Design Drugs	신약 설계 Peptone : 단백질의 특징과 특성을 예측해 단백질 디자인의 복잡성을 줄이고제조 및 특성파악 관련 문제를 해결하며 새로운 단백질 특성을 발견
7	Design Preclinical Experiments	전임상시험 설계 Desktop Genetics : CRISPR 가이드 설계에 영향을 주는 생물학적 변수를 결정해 CRISPR 라이브러리를 위한 가이드 선정 실험의 편향 감소
8	Run Preclinical Experiments	전임상시험 수행 Transcriptic : 로봇 클라우드 실험실로 샘플분석을 자동화해 외주식, 주문식, 자동화 실험실을 통한 필요한 데이터의 빠르고 안정적인 생성
9	Design Clinical Trials	임상시험 설계 Trials.ai : 임상시험 디자인을 최적화해 환자의 임상시험 참여를 쉽게 하고 불필요한 부담을 경감하여 실시간 통찰력 제공
10	Optimize Clinical Trials	임상시험을 위한 환자모집 Deep 6 AI : 의료기록 분석을 바탕으로 임상시험 환자를 검색해 환자모집의 가속화를 통한 임상시험의 신속한 완료
11	Optimize Clinical Trials	임상시험의 최적화 서비스 Imagia : 임상적으로 실행가능한 정보를 목적으로 방사선 이미지를 분석해 임상시험 만족과 동반진단에 필요한 질병의 경과 및 치료 반응 예측
12	Publish Data	데이터 출판 sciNote : 제공된 데이터를 기초로 과학 논문 초안을 작성해 출판을 위해 제출할 과학 논문 작성의 "순조로운 출발(head start)" 제공

[그림 30] 신약개발단계에 따른 인공지능 활용 12개 카테고리 및 기업 예시 41)

41) 출처: BenchSci, 한국바이오경제연구센터 재구성

병원	인공지능 개발/제휴 동향	제휴기관
삼성 서울병원	- 한국마이크로소프트의 인공지능 기반 클라우드 플랫폼 애저(Azure)로 유전체 데이터, 영상 데이터, 수면 데이터 기반 한국형 인공지능 정밀의료시스템 구축을 추진하는 전략적 업무협약을 체결	한국마이크로소프트
서울 아산병원	- 산업통상자원부 지원 "폐/간/심장질환 영상판독 지원을 위한 인공지능 원천기술 개발 및 PACS 연계 상용화" 책임 연구기관으로 선정되어, 이를 추진하기 위한 "인공지능 의료영상 사업단" 발족 - 서울대학교병원과 손잡고 "한국형 의료 빅데이터" 공동 분석/활용을 위한 공동연구협약 체결	서울대학교병원
서울대학교 병원	- 대구경북과학기술원(DGIST)과 의료용 인공지능 플랫폼 개발을 위한 업무협약 체결 - 건강보험심사평가원과 "인공지능 기반 의료영상 진단모형 개발" 시작 - 식품의약품안전처로부터 확증임상 승인을 받은 벤처기업 루닛의 폐질환 진단 인공지능 소프트웨어의 임상시험 시작	대구경북과학기술원 건강보험심사평가원 루닛
세브란스 병원	- 셀바스AI의 인공지능 기반 질병 예측 서비스 "셀비 체크업"을 세브란스 병원 홈페이지를 통해 서비스 제공 - 한국마이크로소프트, 디에스이트레이드, 아임클라우드, 센서웨이, 베이스코리아IC, 핑거앤, 셀바스AI, 마젤원, 제이어스, 디엔에이링크 등 국내외 IT 기업 10개 사와 한국형 디지털 헬스케어 공동연구 협약 체결 - 유전체 빅데이터 분석 전문기업 신테카바이오와 유전질환 치료제 개발 연구를 위한 업무협약 체결	셀바스 AI 한국마이크로소프트 아임클라우드 디엔에이링크 신테카바이오
서울 성모병원	- 미국 스탠포드대학교와 인공지능 암 치료기술 상용화를 위한 연구 협약 체결	美 스탠포드 대학교
고려대학교 의료원	- SK텔레콤과 지능형 병원 구축을 위한 양해각서 체결 - 뷰노와 공동으로 뼈 나이 판독 인공지능 프로그램 임상시험 진행 - 유전체 빅데이터 분석 전문기업 신테카바이오와 정밀의료 병원정보시스템 개발 사업 공동 추진을 위한 양해각서 체결	SK 텔레콤 뷰노 신테카바이오
경북대학교 병원	- 인실리코 메디슨과 인공지능 공동 연구/협력을 위한 업무협약 체결 - 왓슨 온톨로지와 유사한 한국형 임상의사 결정지원 프로그램 개발 중	美 인실리코 메디슨

[표 26] 국내 주요 병원들의 의료 인공지능 개발/제휴 동향

병원	인공지능 개발/제휴 동향	제휴 기관
메디플렉스 서울 병원	- 뷰노와 공동으로 24시간 전에 심정지 발생을 예측하는 인공지능 솔루션 "이지스" 개발	뷰노
365AMC 병원	- 한국마이크로소프트와 함께 지방흡입 인공지능 기술 "MAIL" 시스템을 공개	한뷰노국마이크로소프트
베스티안 병원	- 치료 후 남을 흉터를 예측하는 인공지능 기술 개발 중	-
김안과병원	- 머신러닝 기술로 녹내장을 진단하는 자체 연구를 수행하여 100%에 가까운 진단 성공률을 기록	-

[표 27] 국내 주요 병원들의 의료 인공지능 개발/제휴 동향 42)

42) 디지털 헬스케어 최근 동향과 시사점, 김용균, 정보통신기술센터

다. 인공지능 헬스케어 서비스 주요 사례⁴³⁾

자가진단 : Babylon Health(영국)

Babylon Health는 영국 London에서 2013년 설립된 자가진단 AI 기반의 건강관리 서비스 유니콘 기업으로서, 2019년 상반기부터 대규모 투자를 집중 유치했고, 기업 가치는 약 20억 달러로 산정 및 연 매출 약 9백만 달러로 추정된다.

Babylon Health는 AI 기반의 의료데이터 분석과 사용자의 상담 내용에 최적화된 챗봇을 활용한 원격상담, 자가진단, 생활습관 모니터링 서비스를 제공한다. 이를 활용하면 의료인이 부족하거나, 의료인을 활용한 대면진료가 어려울 때, 환자의 중증도 등을 자가 진단할 수 있다.

사용자는 상담자와 챗봇 간 대화형 증상 입력 후, 이에 대한 AI 기반 질병 및 심각성을 추론하여 제공받는다. 이후 사용자들은 챗봇을 통한 자가진단을 확인하고 결과에 따라 1 : 1 원격 상담을 추진하게 된다. 의사의 경우, 진단 과정에서 AI를 활용한 진료 지원 기능을 제공하고 있다.

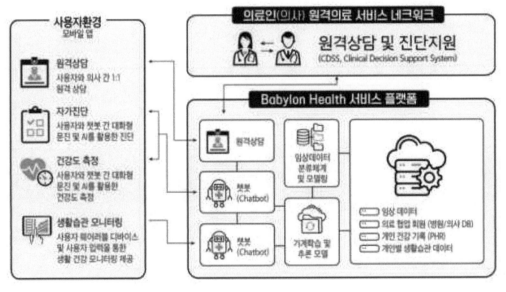

[그림 31] Babylon Health 서비스 개요

영국의 공공 건강서비스인 NHS(National Health Service)의 기존 온라인 상담 기능의 부분대체를 목표로, Babylon Health의 자가진단 챗봇 서비스가 제공되고 있다. 국내의 경우 건강도 측정, 생활습관 모니터링은 가능할 것으로 전망된다.

---

⁴³⁾ 해외 디지털 헬스케어 규제개선 동향, 문장원, 윤형진, 선미란, NIPA, 2019.12.11

원격상담은 건강 등 일반 상담 외 진료와 처방 관련 원격상담은 의사와 의사간 가능하며, 환자와 의사간 원격상담은 의료법 제34조에 의거하여 불가하다. 현재 Babylon Health의 원격상담 서비스 모델은 국내 의료법에 위배된다.

자가진단은 AI를 활용한 개인의 특정 증상에 대한 질환 발생 가능성 상담은 의료법 상 '진단'에 해당하여 비의료기관은 수행은 불가하다. Babylon Health는 비의료기관에 해당되기 때문에 자가진단 서비스 모델의 국내도입은 제한적이다.

건강 모니터링 : Proteus Digital Health(미국)

Proteus Digital Health는 미국 캘리포니아 소재의 기업으로 2001년 설립되었다. 본 기업은 의약품의 투약 및 생체정보를 모니터링 하는 유니콘 기업으로, 기업 가치는 약 1억 달러로 산정되며 연 매출은 약 2천만 달러로 추정된다. 2019년 11월을 기준으로 투자기관, Kaiser Permanente(보험/의료 융합), Oracle(ICT 솔루션) 등으로부터 4.87억 달러 누적 투자유치를 달성했다.

Proteus Digital Health는 복용 가능한 센서와 캡슐/정 의약품이 융합되어, 약물의 투입패턴 등을 의사와 환자가 모니터링 할 수 있는 서비스를 제공한다. 이를 통해 투약 일정 준수 등을 높여, 질병악화로 인한 사회적 손실 절감 효과를 창출할 수 있다.

[그림 32] Proteus Digital Health 서비스 개요

Proteus Digital Health 서비스는 복용 의약품 내장형 센서, 환자 부착 패치형 통신/(추가)센서 디바이스, 처방 이행 모니터링 솔루션으로 구성되어 있다.

서비스	내용
① 투약 감지 및 기록	• 센서 융합 약재(캡슐/정)가 위에 도달하여 용해 시, 센서와 웨어러블 패치 간의 통신을 통하여 약물 투입 시간을 감지 • 웨어러블 패치는 Proteus 제공 엡과의 통신을 통하여 서버에 저장 • 웨어러블 패치는 약 1주일간 사용 가능
② 환자 상태정보 기록	• 웨어러블 패치를 통한 의약품 복용 기록 외, 환자의 운동량, 심박수, 휴식시간 등을 검출하여 서버로 전송 • 사용자는 앱을 통하여 혈압, 혈당, 체중 등 정보를 개별 입력 가능
③ 의료인에 대한 처방 진행 및 환자 상태 데이터 제공	• 환자의 투약 일정 준수 및 관련 임상 데이터 제공
④ 환자 지정 관계자에 대한 투약정보 제공	• 환자가 지정하는 보호자, 지인 등에 대하여, 환자의 의약품 복용 정보를 제공

[표 28] Proteus Digital Health 서비스 구성

Proteus Digital Health의 경우 국내의 의료법 저촉 사항이 없어 도입이 가능하다. 복용하는 의료기기 관련하여, 국내에는 「캡슐내시경 평가 가이드라인(2011. 3.)」을 발간하여 캡슐내시경 관련 인증기준이 존재하나, 센서 내장형 의약품에 대한 인증기준은 모호하여 사업화 지체가 우려된다.

관련 규제는 없으나 사업 수행을 위한 기준 등이 모호하면 실질적으로 사업이 불가하므로 해당모델은 규제샌드박스 등을 통해 해결이 필요하다. 따라서 원활한 도입을 위하여 센서 융합형 의약품에 대한 임상검증 등 인증체계와 가이드라인 수립이 필요하다.

의료서비스 : American Well

American Well은 미국 Boston 소재의 2006년 설립된 헬스케어 IT 기업으로, 2019년 11월 투자기관, Phillips, Anthem((보험), Jefferson Health System(의료서비스) 등으로부터 5.17억 달러 누적 투자유치를 달성했다.

American Well의 서비스는 ICT 서비스 플랫폼을 기반으로, 사용자(환자)와 의료기관(의사) 간 모바일 및 웹 환경에서 원격의료 서비스를 제공하고 있으며, 긴급의료, 소아의료, 뇌졸증(Stroke), 생활건강관리, 정신의학, 만성질환관리로 모듈화 되어있다.

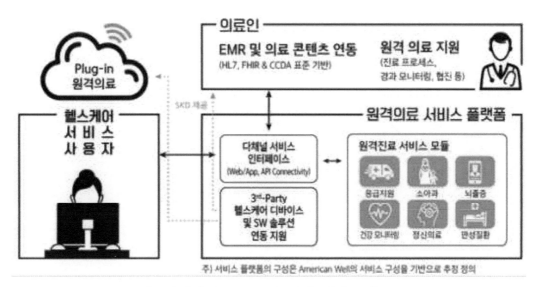

[그림 33] American Well의 서비스 개요

American Well의 수익 발생이 가능한 주요 고객은 보험사, 의료기관, 기업(임직원 건강관리)로 서비스를 제공하고 있다. 서비스 과금 체계는 'Pay per Visit'기준으로, 환자와 의사 간 원격진료 당 2016년 기준 평균 49달러 수준이다.

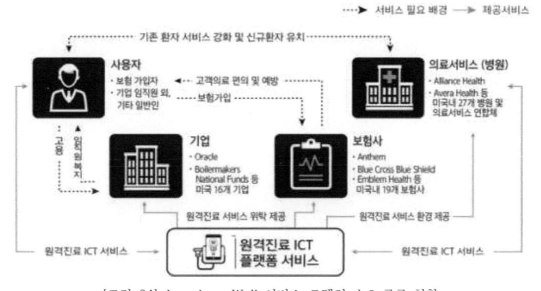

[그림 34] American Well 서비스 모델의 수요·공급 현황

American Well의 원격의료는 의료법에 저촉되어 도입이 불가하다. 국내 의료법 상 '대면진료'외 '원격진료'를 규제하고 있어, American Well의 서비스에서 '원격진료 플랫폼'을 여러 기관에 제공하는 것은 불가하다.

의료정보서비스 ICT 플랫폼 : Oscar Health

Oscar Health는 미국 New York 소재의 2012년 설립된 원격진료 ICT 서비스를 핵심 경쟁력으로 하는 보험사로 2019년 11월을 기준으로 투자기관 및 Alphabet(Google 지주회사) 등으로부터 13억 달러 누적 투자를 유치했다.

Oscar Health의 서비스는 보험사로 병원(의사) 네트워크를 구성, 보험 가입자(환자)의 위치 기반 의료인 리스트를 제공하고, 환자가 선정한 의사와 원격진료 또는 예약 기능을 제공한다.

[그림 35] 위치 기반 사용자 선택 원격 진료

Oscar Health는 민영 보험사로써 보험과 원격의료가 결합된 서비스 제공하여 보험을 활성화하고 있다. 원격의료의 주체인 의료인의 자체 고용이 아닌 협력 네트워크를 구성·운영하며, 디지털헬스케어 부분을 보험과 융합하여 위험군에 대한 측정 등 개인화, 맞춤형 보험 상품을 개발할 수 있다.

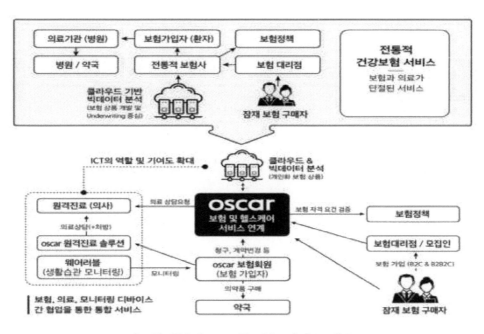

[그림 36] Oscar Health 서비스 개요

또한, 고객에 대한 개인화된 보험료 산정을 통해 Oscar의 보험료 절감 및 의사와 환자에 대한 시간 절감 및 편의를 제공한다.

[그림 37] 기대편익

Oscar Health의 원격의료, 의료알선은 국내 의료법 상 불가하다. 국내 의료법 상, '대면진료'외 '원격진료'를 규제하고 있기 때문에 "원격진료"가 핵심인 Oscar Health 서비스와 동일 또는 유사 헬스케어 모델의 국내 도입은 불가하다. 또한, 의료인에 대한 '영리를 목적으로 환자를 소개하는 행위'를 금지(의료법제27조 제3항)하기 때문에, 의료인을 서비스에서 임의 지정/알선할 경우, 알선에 해당한다.

라. 인공지능·빅데이터 기반 독립형소프트웨어의료기기 개발 사례

1) 의료영상활용

의료영상을 활용한 인공지능 및 빅데이터 기반 독립형소프트웨어의료기기는 방사선 영상 및 MRI, CT 등 의료영상을 활용하여 암진단, 골연령, 폐결절 등 의사의 진단을 보조하기 위한 사용 목적으로 관련기술이 활발히 개발 중에 있다.

국가 및 기업명	제품명	내용
Enlitic(미국)	Patient triage	• 촬영된 환자의 방사선 영상을 1차적으로 판독하여, 판독결과에 따라 적절한 의료진을 매칭시키는 인공지능 기반 독립형 소프트웨어의료기기
NVIDIA Corporation(미국)	NVIDIA DIGITS	• 딥러닝 기반 암진단 독립형소프트웨어의료기기 • 촬영된 환자의 영상 속 암세포를 판별하여 표시하는 기능을 가짐
구글 딥마인드 (미국)	-	• 복수의 안과질환을 정확하게 판별 가능한 기술 개발 • 3차원 영상인 빛 간섭 단층촬영(OCT)으로부터 다양한 안과적 비정상 영역을 딥러닝 모델로 정확하게 분할하여 판별
텐센트(중국)	미잉(Mying)	• 의학 영상 분석 및 보조 진단 인공지능 소프트웨어의료기기 개발 • 중국 내 백여 개의 3급 대형병원과 협력을 거쳐 의사의 진단을 보조하여 700여 종의 질병 예측
뷰노	VUNOmed-Bone Age	• 인공지능 기술을 이용하여 엑스레이 영상을 분석, 환자의 뼈 나이를 제시하고, 의사가 제시된 정보 등으로 성조숙증이나 저성장을 진단하는데 도움을 주는 독립형 소프트웨어의료기기
루닛	Lunit INSIGHT	• 엑스레이 촬영한 환자의 흉부 영상을 입력·분석하여 폐결절이 의심되는 부위의 정도를 표시하여 의사가 폐결절을 진단하는데 도움을 주는 독립형소프트웨어의료기기
제이엘케이 인스펙션	JBS-01K	• 자기공명으로 촬영한 환자의 뇌 영상과 심방세동 발병 유무를 입력하면 뇌경색 패턴을 추출·제시하여 의사가 뇌경색 유형을 판단하는데 도움을 주는 독립형 소프트웨어의료기기

㈜에임즈	EyeView	• 개발 중 • 인공지능으로 기반의 추론 모델을 이용하여 안저카메라로 촬영한 환자의 안저 영상으로부터 녹내장 여부를 판독하는 소프트웨어 의료기기
㈜딥노이드	DEEP:NEURO -CA-01	• 개발 중 • 빅데이터 및 인공지능(AI) 기술을 이용하여 사람의 뇌혈관 MRA(Magnetic Resonance Angiography;자기공명혈관조영술) 영상에서 뇌동맥류로 의심되는 이상 부위를 검출하여 의료인의 진단결정을 보조하는데 사용하는 소프트웨어 의료기기
에프앤디파트너스	MEDISCOPE	• 인공지능 기술을 이용한 의료영상 검출 보조 소프트웨어로서 피부 의료영상이 입력되었을 경우 흑색종 검출 여부를 도와주는 소프트웨어 의료기기
(주)디엔	-	• 개발 중 • 시선 추적 및 안구운동 검사 영상 장치에 의하여 얻어진 이미지 데이터를 인공 지능 프로그램을 이용하여 사시 진단의 정확도를 높여 의료인의 진단 결정을 보조하는데 사용하는 소프트웨어 의료기기
리드브레인	RB-A-01	• 개발 중 • 인공지능 기술로 학습된 자기공명영상장치(MRI, Magnetic Resonance Imaging)의 DWI (Diffusion Weighted Imaging), GRE (Gradient Echo), MRA(Magnetic Resonance Angiography)를 기반으로 의사가 뇌경색을 진단을 판단하는데 도움을 주는 독립형 소프트웨어의료기기
크레스콤	MEDAI-01	• 개발 중 • 인공지능 딥러닝 분석 기법으로 손뼈 X-ray 영상에 대해 Tanner-Whitehouse 3 (TW3) 골연령 평가방식 기반에 Greulich-Pyle(GP) 방식을 통합하여 골연령을 정밀 자동 분석한 결과를 확인하여 의사가 판단하는데 도움을 주는 독립형 소프트웨어의료기기
휴런	mPDia	• 개발 중 • MR(Magnetic Resonance)영상과 임상 정보로 이루어진 데이터를 학습하여 의료진의 퇴행성 파킨슨 증후군 진단결정을 보조하기 위한 독립형소프트웨어 의료기기
클라리파이	ClariCT.AI	• 인공지능기술을 활용하여 환자의 CT 영상 속 노이즈를 제거하여 영상을 더 선명하게 출력하는 의료영상전송 장치소프트웨어

표 30 의료영상 활용 독립형소프트웨어의료기기의 국내외 기술현황

2) 생체데이터 기반

생체신호는 전통적 생리 지표인 체온/맥박/혈압/호흡/혈당뿐만 아니라, 센서/웨어러블/통신기술 발달에 힘입어 신체활동/뇌파/심전도/산소포화도 등이 있다. 이러한 의료정보를 기반으로 한 인공지능 의료기기의 경우 환자의 생체신호 데이터를 활용하여 암 진단, 심장질환, 사망위험 예측 등 병변진단 및 의사의 진단을 보조를 위한 기술이 활발히 개발 중이다.

기업명	제품명	내용
구글 딥마인드	-	• 개발 중 • 급성 신부전증, 염증으로 인한 환자 위험상황을 검출해내는 인공지능 기반 독립형소프트웨어의료기기 • 측정된 환자의 생체신호를 분석, 위험 요인 감지 시 의료진에게 전송하여 빠른 대응을 할 수 있게 함
GE Healthcare, Roche	Clinical decision support	• 개발 중 • 수집된 환자의 데이터를 이용하여 의료진의 판독에 도움을 주는 인공지능 기반 독립형 소프트웨어의료기기
Philips	MOM (Mobile Obstetrics Monitoring)	• 개발 중 • 임산부를 위한 임신 관리 독립형 소프트웨어의료기기 • 임신 중 측정한 생체신호를 기반으로 위험요소를 감지하고, 감지된 위험요소를 의료진에게 알려 적절한 진단 및 치료를 가능하게 함
Microsoft Corporation	Project Hanover	• 개발 중 • 머신러닝 기법을 이용하여 암진단, 만성질환 진단을 돕는 독립형 소프트웨어의료기기
뷰노	VUNO Med-DeepEWS	• 개발 중 • 인공지능 기술을 이용하여 환자의 전자의무기록에서 활력징후를 전송받아 통합 분석하여 위험도 수치를 표시해주는 소프트웨어 의료기기
에비드넷	-	• 개발 중 • OHDSI(Observational Health Data Sciences and Informatics) CDM기반으로 다기관 의료 빅데이터 분석 기술
삼성SDS& 빈티지랩	유방암 실시간 발명 및 재발 예측을 위한 프로세스	• 개발 중 • 삼성서울병원과 같이 건강검진 자료 및 EMR 자료를 이용해 유방암 환자 재발 위험도 및 발생 위험도 예측

3Billion	3Billion 유전체분석 시스템	• 개발 중 • 희귀질환환자 유전체 분석을 통한 진단 및 치료 기법 제공
셀바스AI	Selvy	• 개발 중 • 심장음, 심전도 분석을 통한 심장질환 발병 위험도 예측
엘렉시	Philo	• 개발 중 • 뇌파를 분석하여 뇌전증 발작 시간 예측
아이메디신	iSyncBrain	• 임상시험완료 • 뇌파데이터를 이용하여 기억장애형 경도인지장애(amnestic Mild Cognitive Impairment, aMCI, 알츠하이머 치매 전 단계)확률을 인공지능 알고리즘을 통해 그 결과를 제시

표 32 생체데이터 기반의 독립형소프트웨어의료기기의 국내외 기술현황⁴⁴⁾

44) 「2020 신개발 의료기기 전망 분석보고서」 2020.3월, 식품의약품안전처

5. 참고문헌

1) 의료·헬스케어에 VR·AR 기술이 활용된다?, YTN 사이언스, 2018.09.11
2) 스마트헬스케어, 한국IR협의회, 2019.09.19
3) 인공지능 헬스케어의 산업생태계와 발전방향, 김문구, ETRI, 2016
4) 헬스케어를 주름잡는 AI 기술 성공사례 인공지능이 바꾸는 '헬스케어' 산업, TechIssue, 2019.03
5) 인공지능 헬스케어 국내외 동향 및 활성화 방향, 김문구 외 2명, 한국과학기술연구원
6) 헬스케어 분야 머신러닝 기술 활용 및 동향, khidi, 2019.11.18
7) 조영임, 홍릉과학 출판사, 2012
8) 인공지능 기술 동향, 박승규, 2018
9) Global Artificial Intelligence Market in Healthcare Sector: Analysis&Forecasts
10) Artificial Intelligence Healthcare Market Global Forecasts to 2025
11) "국내 '디지털헬스', 9점 만점에 5점…법·제도 개선해야", 2021.4.8. Yakup.com
12) 「2020 신개발 의료기기 전망 분석보고서」 2020.3월, 식품의약품안전처
13) 헬스케어 분야 머신러닝 기술 활용 및 동향, Khi야, 2019.11.18
14) [기획]의료계 뜨겁게 달궜던 '왓슨' 열풍 이대로 식나, 청년의사, 2019.05.17
15) AI 신약개발, 2~3년 프로세스 46일로 단축, The Science Monitor, 2019.09.03
16) 아톰와이즈, AI 이용한 세계최대 약물후보 스크리닝 프로그램 개발, 성재준, News1, 2019.08.14
17) SK바이오팜, 美 twoXAR와 인공지능 폐암신약 공동연구, 장종원, 바이오스펙테이터, 2019.04.18
18) 한미약품, 신약개발에 AI 도입..스탠다임과 협업, 장종원, 바이오스펙테이터, 2020.01.22
19) 파로스IBT, AML 대상 '차세대 FLT3 저해제' "호주 1상 승인", 김성민, 바이오스펙테이터, 2019.12.05
20) 출처: BenchSci, 한국바이오경제연구센터 재구성
21) 디지털 헬스케어 최근 동향과 시사점, 김용균, 정보통신기술센터
22) 해외 디지털 헬스케어 규제개선 동향, 문장원, 윤형진, 선미란, NIPA, 2019.12.11
23) 「2020 신개발 의료기기 전망 분석보고서」 2020.3월, 식품의약품안전처
24) IBM 왓슨 헬스, 암 진료 분야에서 AI 가치 입증, 인공지능신문, 2019.06.18
25) 애플 헬스 레코드: 아이폰으로 자신의 진료기록을 관리한다. 최윤섭, 최윤섭의 헬스케어 이노베이션, 2019.02.18
26) 구글 헬스케어 사업동향, 2019 글로벌 ICT 이슈리포트, 2019.03.21
27) 아마존, "헬스케어 시장도 석권한다"…'아마존 케어' 출시, IT뉴스, 2019.09.26
28) AI와 애저 플랫폼으로 지원하는 MS의 헬스케어 산업, 이건한, 테크월드, 2019.08.14
29) CB insights, Digital Health 150: The Digital Health Startups Redefining The Healthcare Industry, 2019.10.2
30) <BioINwatch(BioIN+Issue+Watch): 20-5> 생명공학정책연구센터('20. 1. 16)
31) 셀바스 AI, CES 2019서 '셀비 체크업' 최신 버전 공개, 김근희, 뉴스핌, 2019.01.09
32) 셀바스 AI, 감정까지 표현하는 인공지능 음성합성 기술 발표, IT World, 2019.10.25

33) 세종병원-뷰노, 심혈관질환 예측·진단기술 공동 개발 협약 체결, 이병문, 매일경제, 2019.01.28

34) 대구파티마병원, 인공지능기반 '뷰노메드 체스트 x-ray' 도입, 박재영, 의학신문, 2020.01.21

35) 의료AI 기업 '루닛' 300억 원 시리즈C 투자 유치, 동아사이언스, 2020.01.06

36) 루닛, CB인사이트 '디지털 헬스 150 기업' 2년 연속 선정, 2020.8.18. 연합뉴스

37) AI로 신약개발 시간·비용 크게 줄여, 민재용, 한국일보, 2018.05.14

38) AI 기반 신약 개발 스타트업 스탠다임, 국제무대서 신규 서비스 론칭, 김민수, 조선비즈, 2018.11.05

39) 한미약품, 신약개발에 AI 도입..스탠다임과 협업, 바이오스펙테이터, 2020.01.22

40) 비대면으로 더 똑똑해진 의료…국내 스마트 헬스케어 시장 활기, 2021.4.8. 이데일리

41) 브레싱스 불로(BULO), 세계 최대 전시회 CES 2021 혁신상 수상, 2020.12.18. 머니투데이

42) SKT, 부산대병원·룩시드랩스와 VR 노인 돌봄 서범서비스 추진, 2020.10.23. 아이티비즈뉴스

43) 누가의료기, 집으로 찾아가는 '홈체험 서비스' 개시, 2021.03.26. 데일리안

44) [Link up - BIO #9] 바쉔메디케이션, "복약 순응도 개선을 위한 모니터링 시스템", 2020.01.21. 와우테일

45) 비대면으로 더 똑똑해진 의료…국내 스마트 헬스케어 시장 활기, 2021.4.8. 이데일리

46) ㈜웨스트문, 스마트 헬스케어 프로그램 MiT(Mirror Training) 개발. 2021.04.12. dongA.com

47) 바이칼, 언어처리 AI로 헬스케어 플랫폼 구축. 2021.04.12. 의학신문

48) '디지털 헬스' 선도 위해 의료·바이오·AI 전문가들이 뭉쳤다, 2021.4.9. 메디파나뉴스

49) LGU+, 탈모·비만 위험 알려주는 헬스케어 서비스 선보인다, 2021.4.12. 조선비즈

50) 미래의학 중심 '디지털 헬스'… 국내 기술력 대비 낮은 경쟁력 왜?. 2021.4.13.뉴데일리경제

51) 국내 디지털 헬스케어 기업이 꼽은 코로나 수혜템은? 2021.04.13. 메디컬타임즈

52) [NOW 대학은 지금] 올해 신설 학과 핵심 키워드는 '인공지능', 2021.04.12. 조선에듀

53) 삼육대 등 7개 대학, 혁신공유대학 바이오헬스 컨소시엄 구성, 2021.04.08. 아시아경제

54) [AWC 2021 in Seoul 기획] '디지털 헬스케어' 기반 다지는 정부…첫걸음은 '의료 마이데이터' 플랫폼 확대, 2021.4.14. 디지털조선일보

55) 마이 헬스웨이((가칭)건강정보 고속도로) 구축 시작, 2021.02.24. 의료정보정책과

56) 인공지능 활성화를 위한 주요국의 대응전략과 정책 제언, 정원준 외1명, IITP

57) 「바이오헬스 핵심규제 개선방안」 2020.1.15. 관계부처합동

58) 심뇌혈관질환, 심장질환, 유방암, 직장암, 전립선암, 치매, 뇌전증, 소아희귀난치성유전질환

59) 『디지털 헬스의 최신 글로벌 동향』 2020.05. KMA 의료정책연구소

60) 인공지능 헬스케어의 산업생태계와 발전방향, 김문구, ETRI, 2016.08

61) 해외 디지털 헬스케어 규제개선 동향, 문장원, 윤형진, 선미란, NIPA, 2019.12.11

초판 1쇄 인쇄 2022년 11월 27일
초판 1쇄 발행 2022년 12월 12일

편저 미래기술정보리서치
펴낸곳 비티타임즈
발행자번호 959406
주소 전북 전주시 서신동 832번지 4층
대표전화 063 277 3557
팩스 063 277 3558
이메일 bpj3558@naver.com
ISBN   979-11-6345-399-4(13510)
가격 32,000원

이 도서의 국립중앙도서관 출판예정도서목록(CIP)은 서지정보유통지원시스템 홈페이지
(http://seoji.nl.go.kr)와국가자료공동목록시스템(http://www.nl.go.kr/kolisnet)에서   이용하
실 수 있습니다.